Nara University

奈良大ブックレット

11

JN000326

学入門

今津節生　相原嘉之　小林青樹　魚島純一　杉山智昭
原口志津子　大河内智之　吉川敏子　岡田 健

ナカニシヤ出版

もくじ

はじめに——文化財学入門

奈良大学の魅力はなんと言っても奈良に立地していることである。奈良は、三世紀から七世紀末まで国の始まりを育んだ建国の地であり、全国に先立って巨大な古墳や寺社が次々に築かれた。奈良には中国からさまざまな文化を取り入れながらも、あるものは切り捨て、あるものはより大きくするなど取捨選択しながら、力強く建国してきた。奈良県内には三つの世界遺産があり、その数は全国一位である。

日本文化の発祥の地とも言えるこの地に、奈良大学が誕生したのは一九六九年のことである。日本文化発祥の地である大和にふさわしく、国文学科、史学科、地理学科の三学科を備えた文学部の単科大学として誕生した。その後、日本の経済成長に伴う大規模開発が進むなかで、文化財を保護することが社会の大きな要請となったことから、一九七九年に全国で初めて文化財学科を設置して「文化財学」という新しい学問領域を設定して文化財学科を創設した。文化財学科では、埋蔵文化財の発掘調査を中心とする調査研究職員を養成する考古学、各地で伝世されてきた美術工芸品などを調査研究する美術史学、地域の文字資料を調査研究する史料学、そして文化財の科学的な調査研究や保存修復の技術を学ぶ保存科学のコースを設けた。「文化財学」という学問は、もともとそれぞれの地域で生まれた文化財を研究し、保護することが目的なので、一つのコースだけで目的が達成されるわけではない。博物館や資料館を見学するとわかるが、土器や金属器などの考古資料・絹や和紙に描かれた絵画史料、陶器などの工芸品・和紙に書かれた地方文書など多種多様の文化財を調査研究し、保存し、博物館で展示するなど、文化財を活用するための総合力が求められる。もともと奈良大学の文化財学科には研究室の垣根がない。学生は自分が専攻するコースを中心に広く学び、多くの先生や先輩に接するようになる。先生も学生の将来を考えて、広く文化財に関する知識を学ぶことを勧める。このように、奈良大学では文化財学という学問領域を設定して、地域の文化財を護る人材を育成してきた。その指導は卒業後も続いて、大学と卒業生との絆も発展している。その結果、現在、奈良大学の卒業生八〇〇人以上が全国各地で文化財専門職として働いている。

近年、文化財保護の観点に新しい二つの方向が加わった。第一に、阪神淡路大震災や東日本大震災を契機に文化財の防災を地域で護ろうとする動きである。地球温暖化の影響もあり、地震や津波だけでなく暴雨土砂災害などの自然災害から文化財を護るための防災・減災のための知識が必要となっている。地震で崩壊した熊本城の石垣や火災で焼け落ちた首里城を見ると、文化財を守り伝えることの難しさや失ったときの悲しみが痛感される。第二に、文化を資源と考えて地域振興や観光産業に役立てようとする動きである。現在の日本は、過疎化・少子高齢化の進行によって地域の衰退が懸念されている。地域の伝統文化や文化財は消滅の危機に瀕している。文化財が持つ価値への理解を深めながら、適切に保存し、活用することで、文化資源を未来に引き継ぎ、文化観光に役立てようとしている。奈良大学で学ぶ学生は、専門的学術的な視点だけでなく、文化財に関する法律や行政の仕組みを学び、文化財の魅力が市民に伝わるような創意工夫を実践することも必要である。

今回の奈良大ブックレットでは、それぞれの教員の多様な研究の一端をわかりやすく紹介していただいた。考古学・美術史学・史料学・保存科学、さらに文化財防災や文化財行政に関することまで、多くの時代や地域に教員の研究は広がっている。本書をきっかけに多様な教員と共に学び、我が国の建国の地である奈良に残る文化財に触れながら、本物を見て、触れて、感じる生きた学問を実践してほしい。奈良大学に入学した学生の皆さんも卒業した皆さんも、奈良大学で学んだ経験を活かして、それぞれの地域に貢献する人材に育つことを願っている。

学長　今津節生

第1章 文化財学 事始め

——文化財学と奈良大学文化財学科

相原（あいはら） 嘉之（よしゆき）

一 はじめに

過去の歴史は現在と密接につながっている。たとえば、昨今の感染症による社会情勢と同じような状況が奈良時代にもあった。『続日本紀』の七三五～七三七年に、その様子が詳細に記されており、当時は仏教によって疫病を鎮めようとした。奈良時代の感染症蔓延の対策は考古資料からも推測することができる。この時期を境に食器（土器）構成が大きく変化し、大型の食器から小型の食器に変わった。大人数で大皿から取り分ける食事作法から、個人ごとの定食スタイルの食事作法に変化したのである。このような経験を過去に幾度も経験していることを、歴史から学ぶことができるのである。そして歴史を知ることは、現在の私たちがどのような生活をするのかを考える指針になる。過去があるから現在があり、そして未来へとつながっていく。

この過去の人びとの生活や社会を復元する学問が歴史学である。この歴史を解明する方法には、さまざまな研究分野がある。残された文献や木簡などの文字史料から歴史を探る史料学、近年までの風習等から歴史を探る民俗学、残された遺跡（遺構・遺物）から歴史を探る考古学、仏像や絵画、美術工芸品から歴史を探る美術史学、科学的な手法により目に見えないものを分析し、保存する方法を考える保存科学などがある。これらの研究対象となる「モノ」が、「文化財」である。

二　文化財とは

では「文化財」とは、どのようなモノであろうか。私たちの生活のなかには、家具や食器、建物や自動車、多くのモノがあふれている。このなかには「文化財」と呼ばれる、歴史的・芸術的に優れた品々も存在する。この文化財の一般的なイメージは、「古いもの」「大切なもの」「保護すべきもの」「先人たちの遺産」などと考えられる。「文化財」を『広辞苑』（第5版）で調べると、

①「文化活動の客観的所産としての諸事象または諸事物で価値のあるもの」
②「文化財保護法の対象としては、有形文化財・無形文化財・民俗文化財・記念物・文化的景観・伝統的建造物群の6種がある」

とされている。①は普通名詞として、一般的な意味に用いられる。②は文化財保護法の対象としての意味で使用されている。その文化財保護法で文化財は、「文化財が我が国の歴史、文化等の正しい理解のため欠くことのできないものであり、且つ、将来の文化の向上発展の基礎をなすもの」（第三条）と定義付けされている。

三　文化財の種類

文化財保護法の第二条では、文化財を六つのカテゴリーに分類している（図1）。

有形文化財とは、建造物・絵画・彫刻・工芸品・書跡・典籍・古文書などで、歴史上又は芸術上価値の高いものや、考古資料及びその他の学術上価値の高い歴史資料。

無形文化財とは、演劇・音楽・工芸技術などの無形の文化的所産で、歴史上又は芸術上価値の高いもの。そして、「技」を体得した個人又は団体によって体現されるもの。

民俗文化財とは、衣食住・生業・信仰・年中行事等に関する

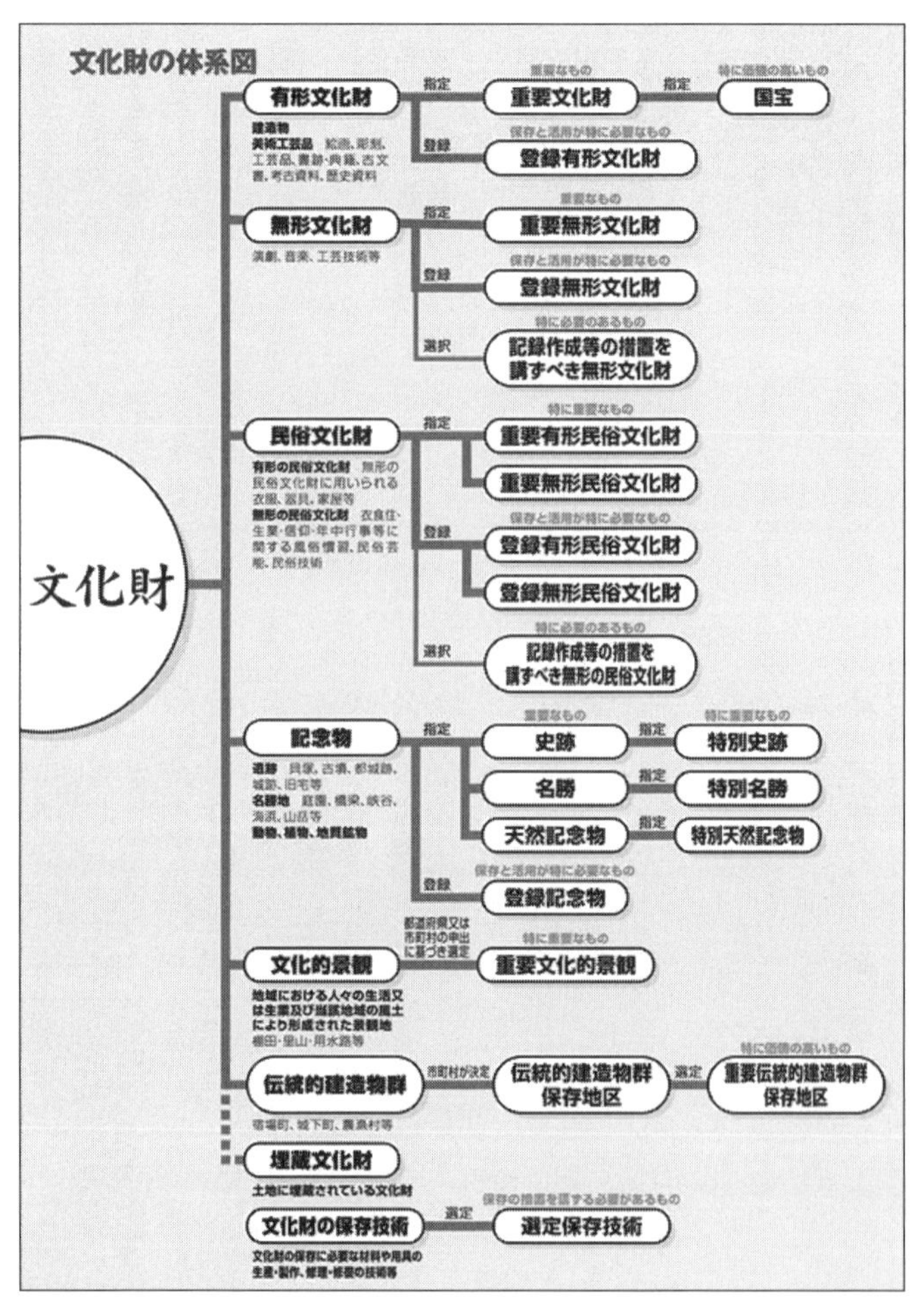

図1　文化財の体系図（文化庁ホームページより）

風俗慣習・民俗芸能・民俗技術や、これらに用いられる衣服・器具・家屋などで生活の推移の理解のため欠くことのできないもの。

記念物とは、貝塚・古墳・都城跡・城跡・旧宅などの遺跡で、歴史上又は芸術上価値の高いものや、庭園・橋梁・峡谷・海浜・山岳などの名勝地で芸術上又は鑑賞上価値が高いもの、さらには、動物・植物・地質鉱物で学術上価値が高いもの。

文化的景観とは、地域における人々の生活や生業、地域の風土により形成された景勝地で我が国民の生活や生業の理解のため欠くことのできないもの。

伝統的建造物群とは、周囲の環境と一体となっている伝統的な建造物群で価値の高いもの。

この他に、記念物や有形文化財を地中に包含する埋蔵文化財と、伝統的な技法の製品を製作したり、芸能などを行える技を持った人たちの文化財の保存技術（一般には「人間国宝」といわれる）がある。

このような有形・無形・民俗文化財のうち重要なものは「重要文化財」、記念物は「史跡・名勝・天然記念物」に指定され、文化的景観は「重要文化的景観」、伝統的建造物群は「重要伝統的建造物群保存地区」に選定される。この指定されたもののなかでも特に重要なものは「国宝」「特別史跡・特別名勝・特別天然記念物」に指定される。また、有形文化財・無形文化財・民俗文化財・記念物では、文化財指定よりもゆるやかに保護する制度として、登録文化財制度もある。

文化財指定件数（二〇二三年三月一日現在）

国宝：１１３２　　重要文化財：１３３７７

特別史跡・名勝・天然記念物：１７４　　史跡・名勝・天然記念物：３３４６

重要無形文化財：90　重要有形民俗文化財：225　重要無形民俗文化財：327

文化財選定件数（二〇二三年三月一日現在）

重要文化的景観：71　重要伝統的建造物群保存地区：126　選定保存技術：83

文化財登録件数（二〇二三年三月一日現在）

登録有形文化財：13654　登録無形文化財：4

登録有形民俗文化財：48　登録無形民俗文化財：2　登録記念物：126

四　文化財保護の歴史

一九五〇年、我が国の文化財を守る統一法規である文化財保護法が制定された。その第一条に文化財保護法の目的が記されている。

この法律は、文化財を保存し、且つ、その活用を図り、もって国民の文化的向上に資するとともに、世界文化の進歩に貢献することを目的とする。

この文化財保護法の制定までに、文化財を守る法律や施策が明治時代から行われていた。これらは大きく美術工芸・建造物関係の保護施策と遺跡・天然記念物関係の保護施策が、それぞれ独自に実施され、これを統合して文化財保護法が制定されたという経緯を持つ。まずは文化財保護法制定までの歴史を記していく。

美術工芸品・建造物関係　明治維新後の欧化主義・廃仏毀釈の風潮のなか、伝統文化が軽視され、社寺の財宝や建造物などの多くの文化財が散逸・破壊の危機に直面していた。このため一八七一年に太政官布告として古器旧物保存方を出し、全国的に古器旧物を保存するために品目・所有者の調査を実施した。この頃、荒廃していた法隆寺は伽藍修理のために二度の出開帳（出張展覧会）を行ったが、収益は思わしくなかった。そのため政府に古器物献備御願を提出し宝物の一部を宮内庁に献上し、報酬金が与えられた。このときに献上された宝物は、現在東京国立博物館の法隆寺宝物館に展示されている。これを契機に、一八八〇年に古社寺保存金の交付制度を施行し、全国の社寺に交付して伽藍修理や宝物の流出を防いだ。その後、岡倉天心らが中心となり、全国の古社寺所有の宝物を調査し、京都・奈良の社寺に優品が数多くあることが判明した。これらを保存する施設の必要性が叫ばれ、東京・奈良・京都に帝室博物館（現・国立博物館）が設置された。日清戦争を経て高揚した民族意識を背景に、古社寺保存の対策がさらに進められ、一八九七年には古社寺保存法が制定された。その対象は社寺に関わるものに限定されたが、国による指定（特別保護建造物・国宝）や、宝物の管理・保護・公開、保存のための助成を法律制度として定めた文化財保護についてのはじめての法律である。一九二九年、深刻な経済不況のなか、旧大名家が所有する宝物の散逸や、旧幕藩体制崩壊後に放置されてきた城郭建築等の修理が必要となり、社寺以外の文化財の保護が必要となってきた。そこで國寶保存法を制定し、古社寺以外の建造物・宝物など（姫路城や名古屋城など）も国宝に指定し、国宝の海外流出を禁止した。しかし、国宝の海外流出は禁止されたものの、未指定の「伴大納言絵巻」などがボストン博物館に買い上げられるなどの事態となり、一九三三年に重要美術品等ノ保存ニ関スル法律を制定して、重要とされる未指定美術品などを重要文化財に指定し、輸出には大臣の許可が必要となるようになった。

記念物関係　一方、記念物関係では、一八七七年にモースが大森貝塚を発掘調査し、一八七九年には報告書を刊行して、日本考古学が始まった。しかし、まだ考古学調査が広まるところまではいかなかった。その頃政府は二つの通知を出す。一八七四年に古墳発見ノ節届出方、一八八〇年に人民私有地内古墳等発見ノ節届出方である。この通知によって、私有地であっても開墾等による古墳の不時発見の際には届け出が必要となった。これは文化財の保護を目的としたものではなく、幕末から続く陵墓探索の一環であり、陵墓治定の調査に支障が出ないように、古墳の保全を図ったものである。一九一九年、日清・日露戦争を経て近代化するなかで、美術工芸品については古社寺保存法によって守られていたが、史跡や天然記念物は道路・鉄道・工場建設によって多くが破壊されていた。そこで史蹟名勝天然記念物保存法を制定し、指定や現状変更の許可制度が導入され、遺跡や記念物の保護が図られた。

五　文化財保護法の制定

このように美術工芸・建造物関係の保護と遺跡・記念物関係の保護は、個々に法律が制定されて保護されてきたが、第二次世界大戦による文化財保護行政の停滞、戦後の混乱のなかで、文化財の海外流出が続き、文化財の統一的な保護法が模索されだした。これを大きく動かしたのが、一九四九年一月二六日の法隆寺金堂焼失である。当時、法隆寺の金堂は修理のため、仏像や一部の壁画は取り外されていた。その修理の最中の夜半、法隆寺から出火して壁画と共に金堂が焼失した。これを契機に、翌一九五〇年に文化財保護法が制定された。なお、この火災を契機として、一月二六日は、文化財防火デーとなっている。

一九五〇年に制定された文化財保護法は、文化財を総合的に保護する法律として制定された。それまであった國寶保存法＋史蹟名勝天然記念物保存法に、無形の文化財や埋蔵文化財も保護の対象とした、文化財の統一法規である。そして、重要文化財・史跡名勝天然記念物と国宝・特別史跡名勝天然記念物の二段階指定を導入した。

六　文化財保護法の改正

一九五〇年制定の文化財保護法も幾度の改正を経て、保護制度が充実してきた。一九五四年の最初の改正では無形文化財の保護制度として重要無形文化財を創設し、その保持者（個人）の認定や記録の選択を制度化した。その後、鎌倉や京都・奈良の文化財周辺山間部の開発計画がもちあがり、文化財指定だけでは周辺環境までは守れないことから、一九六六年に古都における歴史的風土の保存に関する特別措置法（古都保存法）を制定し、文化財と周辺の自然環境が一体となる古都を守ることになった。この背景には高度成長期を迎え、社会構造は大きく変化し、急激な都市開発と地方の過疎化が進行していたことがある。一九七二年の田中角栄の日本列島改造論はその先鋒である。これによって、由緒ある建造物や社寺は建て替えられ、城下町・宿場町の面影は変貌、伝統的な民俗行事は衰退した。さらに大規模開発によって埋蔵文化財の破壊が続いた。これらを受けて、一九七五年の改正では個々の建造物だけでなく、建造物群（町並み）を保護する伝統的建造物群保存地区の保護制度を創設。さらに重要無形文化財の保持者（個人）だけでなく、団体も保持団体に認定する制度を創設した。一九九一年、日本は世界遺産条約を締結し、一九九三年に法隆寺・姫路城・屋久島・白神山地が我が国初の世界遺産に登録された。開発の進行と生活様式の変化から、近代化の過程で形成された近代化遺産が減少してきたことを踏まえて、一九九六年の改正では、近代化遺産の建造物も指定されるようになり、さらに指定文化財以外でも、建造物に登録文化財制度が創設された。国による構造改革、地方分権改革の推進に伴って、国から地方への移管が進む。一九九九年の改正では、埋蔵文化財に関する事務の一部が、都道府県教育委員会に委譲された。また国立博物館・国立文化財研究所の独立行政法人への変更が決められた。二〇〇四年の改正では、景観法の施行に合わせて、地域における人びとの生活・生業・風土により形成された景観地として、文化的景観の保護制度が新たな文化財のカテゴリーに追加された。また有形の民俗文化財、記念物にも登録文化財制度が導入された。社会構造の変化（過疎化・少子化による担い手不足・市町村合併による新しいまちづくり）や総体としての文化財の新たな価値、社会全体で文化財を保護する方策が課題となり、二〇〇七年には文化財を総合的に把握し、周辺環境も含めて保存・活用する歴史文化基本構想策定の事業を行った。この構想を実施していく計画として、翌年には歴史的風致維持向上計画を国土交通省が実施した。二〇一〇年代から、外国人観光客が増加し、インバウンドによる日本文化への注目が増してきた。これらを踏まえて、我が国の文化財や伝統文化を通じた地域活性化を図るため日本遺産魅力発信事業が始まった。二〇一八年の改正で文化財保護の大きな転換点となった。社会構造の変化は喫緊の課題であり、地域総がかりで、文化財の継承に取り組むことが示され、地域における文化財の保存・活用の促進や文化財行政事務を首

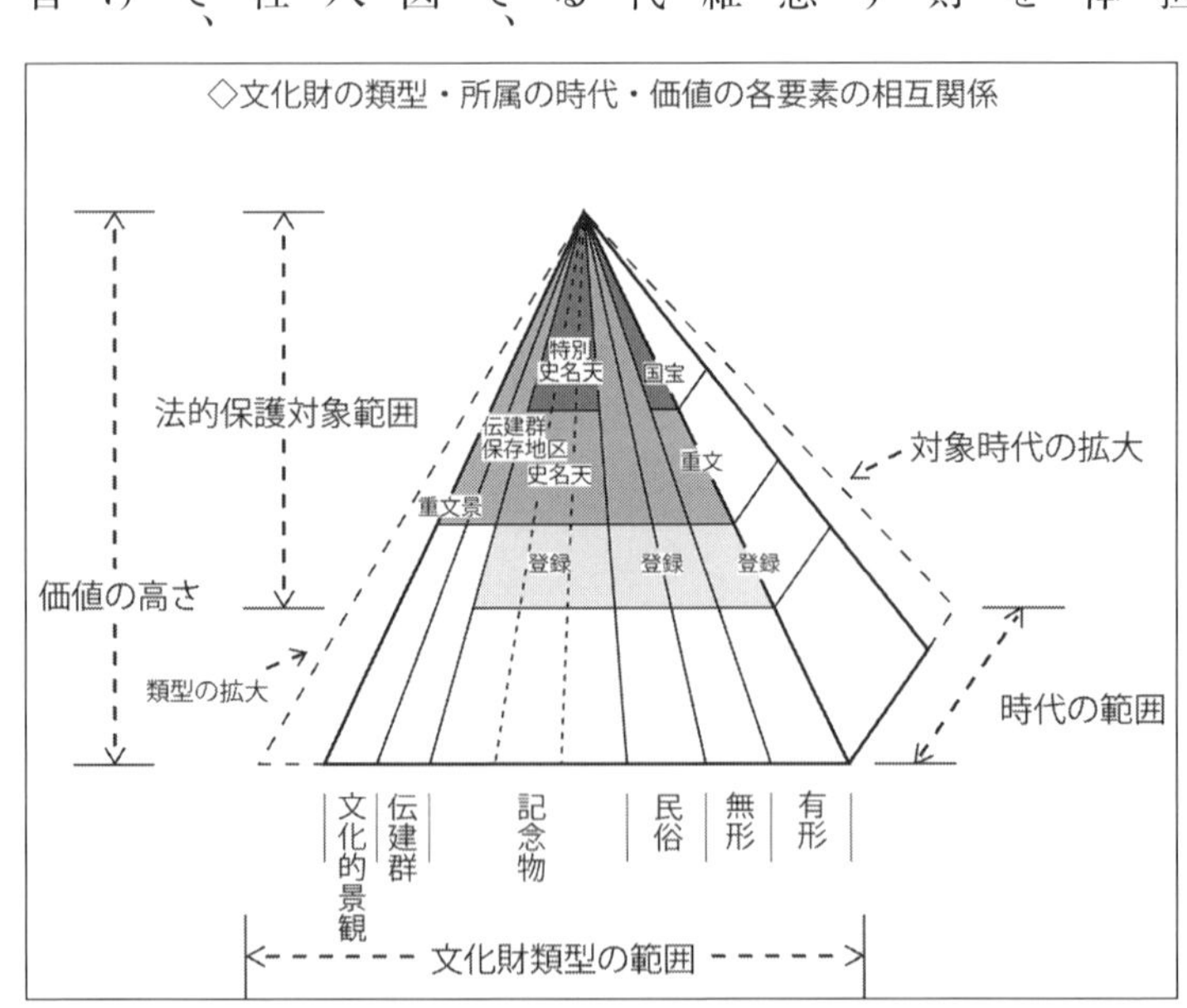

図2　文化財の類型・所属の時代・価値の各要素の相互関係（画：森山そらの）

長部局に移すことを可能とし、持続可能な保護・継承・活用の仕組みづくりの強化を図ることになる。ここにきて文化財の保存から活用へと大きく舵を切ったことになる。これは文化財を活用することにより保存できるという、文化財保護の理念にあったものであった。最も新しい二〇二一年の改正では、無形文化財や無形民俗文化財にも文化財登録制度を導入し、これで六カテゴリーのうち、選定である伝統的建造物群と文化的景観を除いて、登録文化財制度が導入されたことになる（図２）。

七　文化財学に関わる学問

文化財とは、学術上・歴史上・芸術上・鑑賞上、価値のあるものであり、重要なものは文化財指定して保護を図る。文化財指定をするためには、その価値を明確にする必要がある。そのために学術的な調査・研究を行い、その内容・価値を究明することが求められる。その価値は考古学・美術史・史料学・建築史・芸能史・民俗（族）学などの調査研究によって明確になる。そして、その文化財の価値をそのまま保存し、未来へと継承し、活用することも必要となってくる。それは保存科学・博物館学・文化財防災・文化財マネージメント（保護・活用）・世界遺産学などの分野において研究、実践される。

このように文化財の調査・研究・保護・活用は、さまざまな分野にまたがり、一つの分野のみで、文化財の保護ができるわけではない。これら文化財の保護行政を行える人材育成が必要となる。

八　奈良大学「文化財学科」

奈良大学は一九六九年に、文化発祥の地・大和にふさわしい文学部国文学科・史学科・地理学科の三学科を備えた単科の大学として、奈良市宝来町に創立された。その後、社会の大きな流れのなかで、文化財保護という観点で、埋蔵・有形・無形の文化財を総合的に調査・研究し、保護することが社会の大きな要請となってきた。このことが「文化財学」という新しい学問領域を設定する理由である。特に、埋蔵文化財の発掘調査・整理のための専門知識・技術を持つ職員を養成することは急務であり、調査研究や保存には、科学的な知見による保存修復も重視された。また、長く伝世されてきた美術工芸品・建築物などの有形・無形の文化財の研究も不可欠である。これらのことから、一九七九年に考古学・美術史学・保存科学を柱としたコースで、全国初の「文化財学科」として設置された。現在では、これに史料学も加わっている。一九八八年には、宝来町から山陵町に校舎を移転し、一九九三年には大学院を設置し、文化財学科の体制も充実した。さらに二〇〇七年には、展示公開並びに博物館実習を行える施設として奈良大学博物館が開館し、二〇一四年には日本考古学協会の蔵書を受贈され、文化財関係図書を持つ大学としては最大の蔵書数となった。

近年、文化財保護の観点は、保存だけではなく、活用も重視されている。文化的な価値を活かしながら地域観光や地域振興に資することが求められている。このことにより、文化財の価値を理解し、保護にもつながる。また、昨今の東日本大震災・熊本地震・豪雨土砂災害などの自然災害などは、大規模・深刻化してきており、文化財にとっても大きな脅威となっている。そのため、文化財の防災や減災も大きな観点となっている。国も国立文化財機構のなかに、文化財活用センターと文化財防災センターを設置している。

このように多様な文化財の調査・研究・保護・活用に対応できる人材育成が急務となっている。奈良大学の文化財学科は、このような社会の要請に対応した「文化財学」を提唱・実践している。

第2章 考古学の研究成果を展示する
――奈良大学博物館令和四年度企画展の軌跡

小林（こばやし） 青樹（せいじ）

一 計画のはじまり

二〇二二年六月某日、奈良大学の考古学実習室で大学院生の垣内翼さんから令和四年度中に奈良大学博物館で実施する企画展をやってみたいという希望が出された。ただし会期は七月からというハードなスケジュールで、突貫工事のごとくやり遂げなければならない。しかし、幸いにして各方面の諸先生・諸氏の支援と協力によって実現に向け一つのプロジェクトが始動した。企画展の実施にいたるまでには伏線があり、一年前に遡る出来事がきっかけとなった。今回、企画展の実施を提案した垣内さんは、古墳時代の土器を専門的に研究しており、一九八六年に本学の酒井龍一助教授（当時、現・名誉教授）によって調査された天理市小路（しょうじ）遺跡の出土資料を実習室に集う学生とともに整理し、二〇二一年度末に報告した（石田・垣内 二〇二二）。この報告は、天理市教育委員会の協力のもとに行われ、出土した遺物は天理市に移管する予定となった。そして、こうした取り組みの成果をなんらかの形で発信しよう、ということになったのである。

ついに始まった企画展の計画を推進するにあたり、筆者は補佐にまわり、垣内さんを中心に大学院生と学生メンバーからなる展示プロジェクトを結成した。本格的な展示計画とするために、企画展プロジェクト委員会メンバーで定期的に会議を行い、スケジュールとさまざまな段取りについて綿密に計画した。企画展プロジェクトメンバーによる最初の検討事項は企画展のテーマを決めることで、熟考の結果、奈良大学博物館令和四年度企画展「小路遺跡と周辺の遺跡―古墳時代のムラと墓―」に決定した。

二　研究からはじめる

幸いその後企画展の会期の初日が九月末に遅れたことにより、企画展に向けてしっかりと学術的な成果を研究として理解し、足元をしっかりと固めた上で展示計画を進めることにした。そこで、展示プロジェクトの次なる検討事項として、展示する遺物の選定とそれらに基づいて想定される小テーマ（展示の個々のコーナーに相当）を決めた上で、それぞれの小テーマをメンバーで分担して研究し深掘りする作業を行うことにした。この作業は、企画展の図録とパネルに必要な原稿・図・写真の準備作業として重要である。

そして小テーマの分担決定後、六月から毎週二人ずつ各々が担当するテーマについて主要な文献をメンバー全員に事前に配布した上で、レジュメを用いて研究成果を発表する研究会を実施した。各発表では小テーマに関する研究の現状が議論され、展示する上での重要点について検討することを目的とした。こうした入念な研究会の積み重ねの結果、展示の全貌をメンバー全員が認識し、理解することができた。

三　現物を確認する

具体的に実物の遺物を展示するとなると大きさや脆さ、破損状況といった現在の状態について、大学に搬入する前に展示に携わるメンバー自身が確認し、写真撮影と調書（資料の状態の記録）の作成をする必要がある。八月九日の午前中、私たち企画展示プロジェクトメンバーは、天理市埋蔵文化財センターを訪問し、天理市教育委員会諸氏の協力を得て、借用を予定している小路遺跡と星塚古墳の出土遺物の確認作業を行った。作業は、小テーマごとに確認すべき遺物をすべて出し、点数と現状の確認をした上で借用する資料を選定し、さらに図録とポスターの写真に必要な個体については写真撮影を同時に行った（図1）。

考古学の研究のなかで、出土遺物の研究をする場合は実物を観察し、写真撮影や実測（遺物の図を描くこと）を行うことが大事である。これにより、自らの眼で見ることで新たな発見をする場合がよくある。

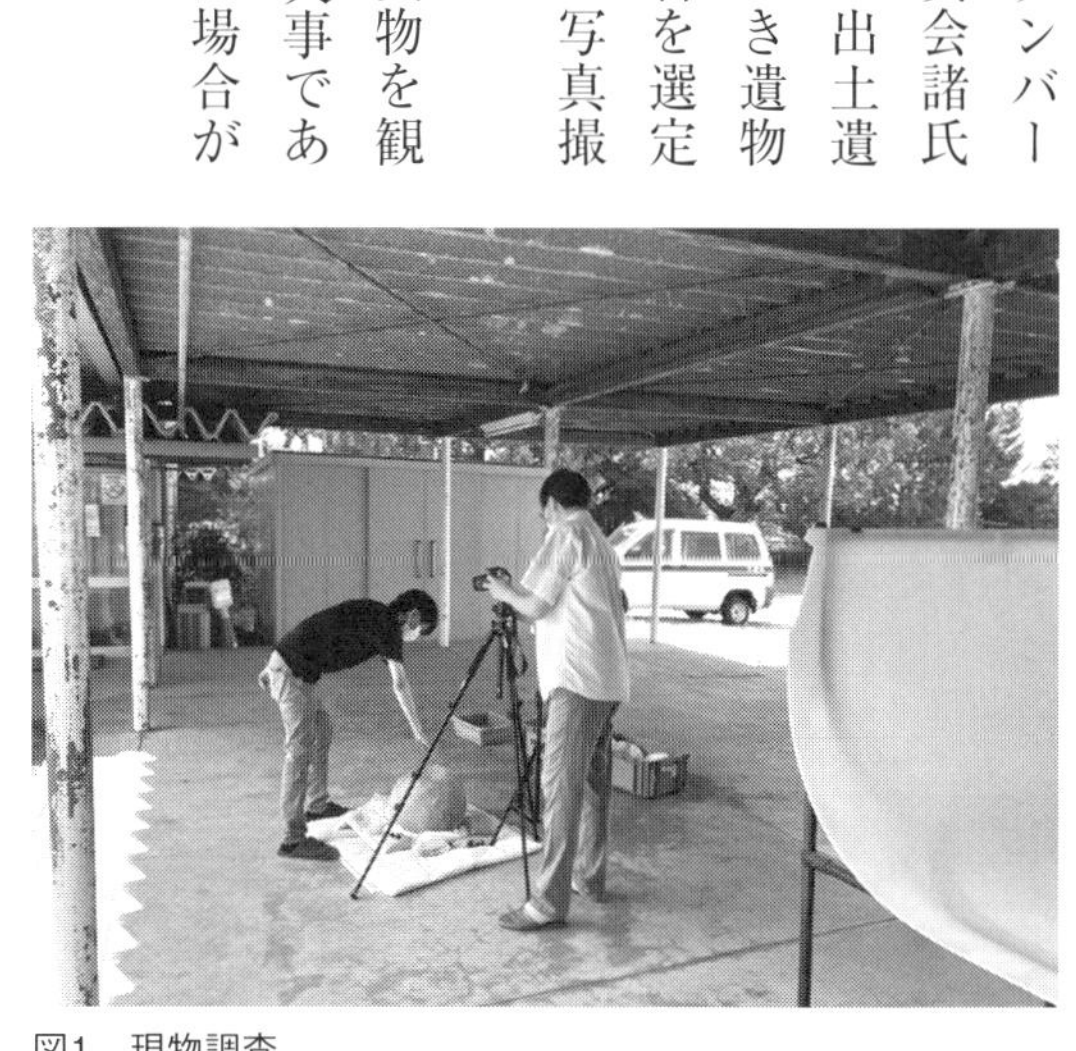

図1　現物調査

四　現地に立つ

八月九日午後、展示プロジェクトメンバーは展示物の確認後、小路遺跡と星塚古墳の現地へ向かった。小路遺跡の大部分は宅地化され、残りは田園風景のなかに埋没している。何も知識がなければ、どこに遺跡があるかまったくわからない。私たちは、事前に研究会で遺跡の位置などについて熟知しており、どこが奈良大学の調査地点か確認することができた。また、星塚二号墳についても現状を確認し、古墳周辺の景観を歩き回りながら体感した（図2）。これにより展示で遺跡の説明をする際の臨場感が増すだろう。

こうした現地調査は、たとえ遺跡の痕跡がほとんどないとしても、研究対象となる遺跡であれば必ず現地に行くべきである。現地調査は、整備された遺跡公園や今でも山のように残る古墳ならばわかりやすいが、場所によっては遺跡にたどり着けないこともある。しかし、決してあきらめてはいけない。現在の地表の起伏は、ある程度遺跡のあった時代の地形の痕跡である。これらを自らの眼で見ることによって遺跡の理解が深まり、新たな発見を得ることがある。遺跡に行く場合は、事前にインターネットで検索し、あるいは遺跡の所在する地元の博物館や埋蔵文化財センターに足を運び情報を得ることをお勧めする。

五　展示の完成

八月、季節は夏となり、ポスターと図録の作成という局面を迎えた。幾多の研究会と現地・展示物の調査を経て、明確な展示のイメージができあがり、それをポスターと図録に反映させるのである。ポスターは学芸員の橋本侑大さんが作成し、図録についてはプロジェクトメンバーに小テーマごとの原稿と図・写真の準備・作成を依頼し、夏季休暇中に垣内さんを中心に編集作業を行い完成した（図3・4）。そして、展示の具体的な構想が煮詰まったので、展示室の使い方や何をどこに展示するかを具体化するレイアウト・デザイン

図2　現地調査（星塚遺跡）

図3　ポスター

案を練らなければならない。これにより、展示物の置き場所が決まるだけでなく、展示に必要なパネルの大きさや数も決まり、プロジェクトメンバーにパネルに必要な原稿と図・写真を作成する分担を依頼できるようになる。

夏季休暇も終わりごろ、会期が迫るなか今度は展示物の博物館への搬入とパネルの作成が待っている。パネルは、学芸員の橋本さんが中心になり学生とともに作り終えた。そして、九月二〇日、天理市埋蔵文化財センターから大学博物館へ展示物を入念に梱包して搬入し、その後随時展示室にそれらを並べ（図５）、また各種パネルやキャプションを設置して、会期初日の九月三〇日を無事に迎えることができた。完成した展示は、小路遺跡に関するコーナーと、星塚遺跡の二つに分かれ、展示室の長い壁面二か所のそれぞれにレイアウトした（図６）。

六　展示の成果と未来

一〇月三〇日をもって展示の会期が終わり、私たちは展示物を天理市埋蔵文化財センターに返却し、展示プロジェクトは活動を終了した。ここまで企画展についてその軌跡と概要について述べてきたが、最後に展示を通じて実感したことについて触れておきたい。今

図4　図録

図5　展示作業

回の展示は考古学の研究を進めている大学院生と学生を中心に実現された。彼らの多くは、来年度全国の考古学専門職に就職し考古学を仕事として生きていく。今回の企画展示実現の経験により彼らは強い自信を持ち、次へのステップに踏み出す勇気を得たであろう。そして、彼ら先輩の勇姿は後輩に影響し、その軌跡は未来に語り継がれるに違いない。

　最後に展示開催にあたり全面的な支援をいただいた天理市教育委員会の諸氏と、展示に携わった本学関係者全員に感謝し、次に始まるであろう新しい物語に期待する。次に一緒に作業する仲間は、本書を読まれたあなたかもしれない。

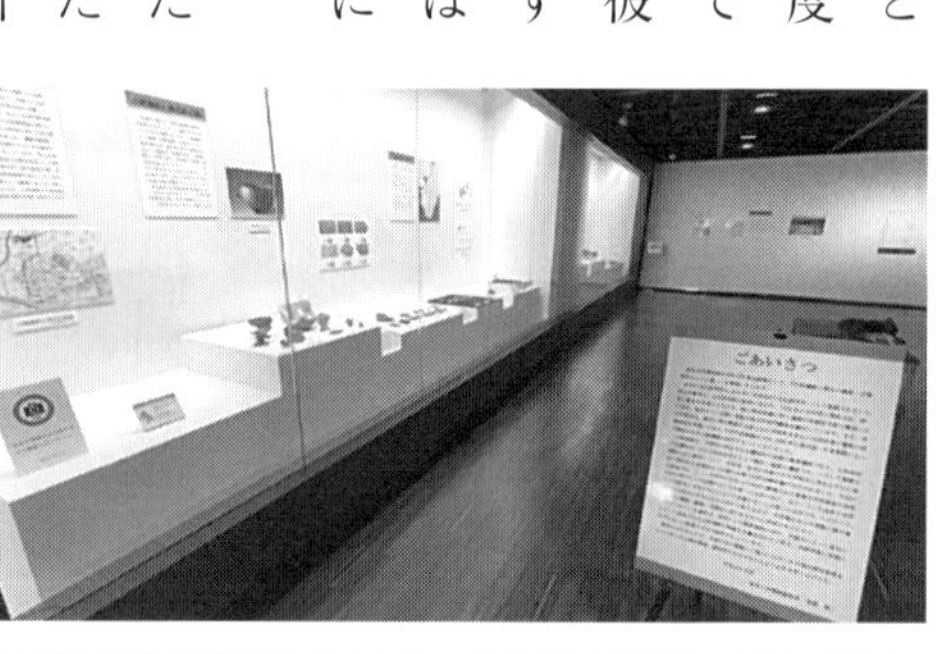

図6　完成した企画展示（上：小路遺跡・下：下星塚遺跡）

〔参考文献〕
石田大輔・垣内翼「資料報告　奈良大学による小路遺跡発掘調査」『天理市文化財調査年報』令和二年度　天理市教育委員会、二〇二二年
奈良大学博物館『奈良大学博物館令和4年度企画展「小路遺跡と周辺の遺跡―古墳時代のムラと墓―」展示図録』二〇二二年

第3章 学生たちとおこなう地方に残る文化財の保存科学的調査

魚島（うおしま） 純一（じゅんいち）

一 はじめに――きっかけは卒業生のご縁

兵庫県の北部、鳥取県境のほど近くに新温泉町湯区と呼ばれる地区がある。「湯村温泉」と言ったほうがよくわかるかもしれない。この地区にある薬師堂と呼ばれているお堂は、格天井と言って天井がおよそ四〇センチメートル四方の升目に区切られていて、その一つ一つの升目にさまざまな絵が描かれた板が嵌（は）められている。

奈良大学の卒業生の一人がこの地区の議員を務めていたことをきっかけに、二〇一五年に奈良大学文化財学科にこのお堂の格天井板絵の保存に関する相談が持ちかけられた。

事前調査を経て、二〇一六年の夏休み、八名の学生とともに一週間この地に泊まりがけで調査をおこなったのを皮切りに、薬師堂の保存科学的な調査がスタートした。

二 薬師堂について

新温泉町湯区は、豊富でかつ高温で知られる源泉を持つ湯村温泉を抱えており、古くから湯治客で賑わったようである。現在でも、大阪や神戸からもバスが出ており、多くの観光客が訪れる観光地となっている。

薬師堂は湯村温泉の中心から少し離れた高台に位置し、三間四間の立派な木造瓦葺きの建物だ（図1）。

内部は、手前から畳間、板間、そして須弥壇に分かれていて、中央に備えられた須弥壇には薬師如来立像と日光・月光菩薩立像が収められた厨子が安置されている。薬師如来立像および日光・月光菩薩立像は秘仏で、普段は厨子の扉は堅く閉じられている。

現在でも日常的に信仰の対象として参拝する方があり、年に数回はお祭りも行われている。正直、なぜこのような地方にこんなに立派なお堂があるのかと思ったのが第一印象だった。

図1　薬師堂外観

三　格天井板絵

天井はおよそ四〇センチメートル四方に区切られ、総数一八四枚の格天井板絵が嵌められている（図2）。周囲の壁にはさまざまな奉納額（大絵馬）が掲げられていて、お堂内部はまさに文化財に囲まれた荘厳な雰囲気を醸し出している。

これまでの調査と伝承を照らし合わせると、現在のお堂は江戸時代前期の元禄一五年（一七〇二）に建立されたことがわかった。格天井は建物の天井であり、建物と一体的な構造であることから、一八四枚の板絵もまた、お堂が建立された一七〇二年までに描かれたとするのが妥当である。

現時点でおよそ三二〇年が経過しているにもかかわらず、その色彩は当初のようすを伝えるのに十分なほど鮮やかに残っている。

しかしながら、この地に生まれ育った人たちの目には子どものころの〝記憶〟と比べるとずいぶん色褪せたように思えるというのが相談のきっかけであった。

果たして本当に数十年で目に見えて褪色が進んだのか、写真などの〝記録〟があれば一目瞭然であることから、捜索を依頼したが、残念ながら見つからなかった。そこに暮らす人にはあまりにも身近であり、日常であったために、それを記録することは誰もしていなかったのである。

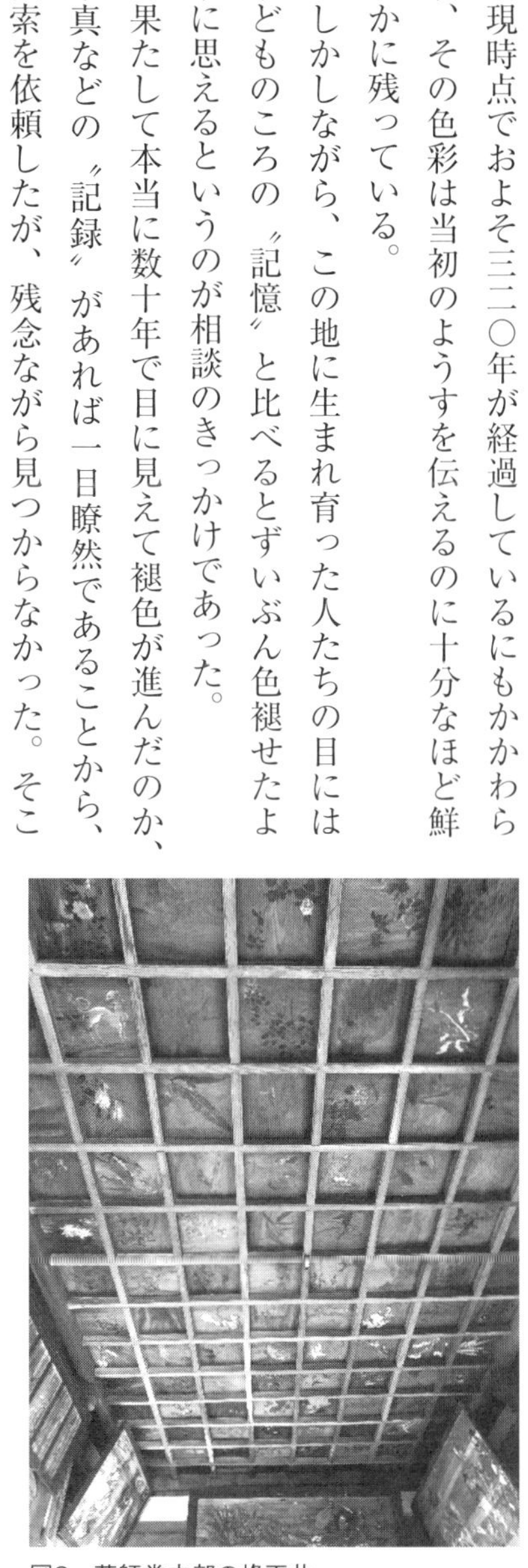

図2 薬師堂内部の格天井

当初の依頼は、「色褪せた板絵を元の姿に描き直してほしい」というものだった。しかし文化財に関わる者として、オリジナルの文化財に直接手を加えて新たなものにすることは決して許されないことであり、まずはきちんとした記録を取り、本当に板絵が色褪せているのかを確認することが大切であることを説明した。長時間をかけた説明の甲斐あって地元の関係者に納得してもらい、すべての板絵の正確な記録を取るための写真撮影を中心とした調査がはじまった。

四 苦労した天井板絵の写真撮影

当初、相談があった際には、天井板絵は升目の桟(さん)の上に置かれているだけで、容易に取り外せるとのことだった。

文化財の記録写真を撮影するためには、正確に記録するためになるべく正面から撮影することが求められる。板絵のような平面的なものであれば、仰向けに安置して、カメラをその真上に固定して撮影すればいい。枚数は多いが、学生たちと手分けをすればそれほど時間はかからないだろうというのが当初のもくろみだった。ところが、調査開始の間際になって、確認したところ、板絵は桟に固定されていて動かせないことがわかった。

いかにして、下向きに固定された板絵をできるだけ真正面から撮影するか。さまざまな検討をおこない、ようやく使えそうな道具を見つけ出したのは調査がはじまるほんの少し前のことだった。

目をつけた道具は、特殊なカメラ用の三脚で、俯瞰写真（真上から撮影した写真）が撮影できるように真下に向けて固定が可能なものだった。これを利用して、逆にカメラを真上に向けて固定し、板絵の真下から撮影すれば、下向きに固定された板絵を真正面から撮影可能ではないか。これが導き出した答えだった。

準備期間は短かったため、実際のテストは現場でおこなうしかなかった。不安を抱えたまま調査がはじまり、床からおよそ三・五メートル上にある板絵の真下にカメラを設置してテスト撮影した結果、真下に設置するにはそれなりに時間がかかるが、撮影で得られた写真は、記録として十分なものであることが確認できた。

図3　調査風景

あとは、与えられた時間内にすべての写真を撮影し終えられるか、時間との勝負である。記録写真は、撮り直しができないことから、一枚の写真を撮る際に条件を変えて何枚も撮影するのが一般的である。今回の調査では少しずつ条件を変えて一枚につき一〇回シャッターを切った。すなわち一八四枚の板絵すべてを撮影するためには二〇〇〇回近くシャッターを切ることになる。

ずっと上を向きながらの作業はなかなかたいへんで、途中交代しながら休むことなく朝から夕方までカメラを移動させてはシャッターを切り続けた結果、学生たちのおかげで思っていたよりは順調に進み（図3）、四日目に一八四枚すべての格天井板絵の撮影を終えることができた。

五　その他の調査

調査の合間に、お堂内の文化財に関わるその他の調査もおこなった。お堂内には奉納額の他にも文字が書かれた木札や棟札が掲げられている。厨子の中にも仏像の寄進の由緒などを書き記した牌が収められていた。

これらを読み解くと、厨子に収められている薬師如来立像と日光・月光菩薩立像は〝森田六良兵衛〟という人が、私財を使って京都の仏師に依頼してつくらせたこと、お堂とその境内地も森田六良兵衛さんが寄進したこと、その年代は、赤穂浪士の討ち入りで有名な元禄一五年（一七〇二）であること、安政四年（一八五七）にお堂の改修がおこなわれたことなどがわかった。保存科学の調査といえども、文化財の調査のためには時には文字を読む必要があり、古文書を読むまではいかなくても、ある程度の文字を読む力が必要となる。

そのほかにも板絵が長年置かれてきた環境、特に温度・湿度の環境がいかなるものかを正確に把握するために、長期にわたって温湿度を記録することができる温湿度データロガーを設置した。これらは、一年間あまり設置した後に回収し、パソコンを使って記録された一年あまりの分の温湿度データを回収して、解析をおこなった。

板絵自身の調査でも、一八四枚のなかに一枚だけ落款（作者が作品に押す判子）があるものがあり、作者は「逸翁」と名乗る人物であることもわかった。

板絵のなかには、汚れなどで描かれた絵が不鮮明となり、何が描かれているのかわからないものも何枚かある。これらを赤外線撮影すると絵の内容がわかるようになるかもしれないと判断し、次回以降の調査では赤外線撮影をおこなうこととし、翌二〇一七年の夏の調査ですべての板絵の赤外線撮影をおこなった（図４）。

六　板絵に使われた絵具を知りたい

調査当初から、板絵に鮮明に残っているさまざまな色の絵具（色料）が一体どんなものなのかを知りたいという欲求があった。

文化財の材質調査をする際には、原則として文化財を傷つけたり壊したりせずにおこなわなければならない。奈良大学にもある蛍光X線分析装置を使えば、非破壊で（文化財を傷

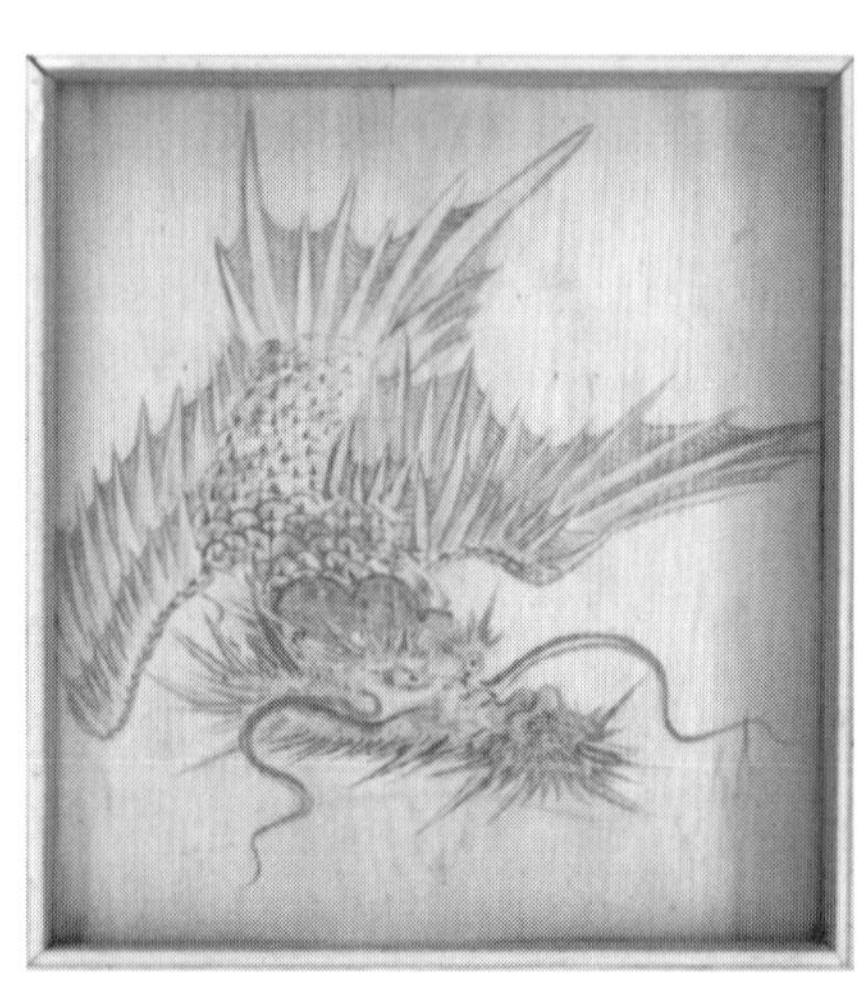

図4　外陣 E-07（右：通常写真、左：赤外線写真）

つけず）材質を調べることが可能である。奈良大学の装置は、一般的なものと比べて特に大きな試料室があり、大型文化財でもこの試料室にさえ入れれば分析が可能で、約四〇センチメートル四方の板絵であれば十分に分析可能だった。

しかしながら、天井の桟に固定されていて取り外すことができない板絵に対してはさすがに何もできない。装置自身を持ち運ぶことができ文化財のあるところで分析調査が可能な可搬型蛍光X線分析装置というものもあるが、この時点では未だ奈良大学には導入されていなかった。

みんながあきらめていたとき、一人の学生が脚立の上に立って、床から三・五メートル上にある一八四枚の板絵の固定具合を一枚ずつ確かめはじめた。その結果、四枚の板絵が割れていて、動くことがわかった。お堂の管理者である調査依頼者に相談して、動かせる板絵を外して大学に持ち帰り、調査を行う許可を得た。

図5　板絵分析の様子

七　格天井板絵の分析——忘れ去られていた絵具の発見

取り外した四枚の板絵を大学まで持ち帰り、大型試料の分析が可能な蛍光X線分析装置を使って分析したところ（図5）、一枚の板絵から思いもしない分析結果が出た。

緑色の絵具は、一般に〝緑青（ろくしょう）〟と呼ばれる銅を原料としたものが知られている。というよりも、緑色の顔料はすべてが緑青であると認識されてきた。

ところが、「外陣A－15」という識別番号を割り振った板絵の緑色の部分を分析したところ、銅以外に、亜鉛とヒ素も検出されたのである。当初は分析ミスであると考え、再度分析したが結果はやはり同じだった。多くの文献を調べたところ、平安時代の作品である国宝の屏風に銅の他に亜鉛とヒ素を含む緑色顔料が使われていたとの報告を見つけた。報告者は国立の研究所に所属する研究者で知り合いであったため、薬師堂板絵の分析データを示して尋ねたところ、国宝の屏風で見つかったものと同じと考えてよいのではないかとのことであった。

さあ、たいへんだ。これまで国宝の平安時代につくられた屏風でしか見つかっていなかった緑色の顔料が、江戸時代の地方のお堂の天井板絵に使われていたというのである。

作者の逸翁についてはさまざまな調査をおこなったが、これまでに知られている絵師にはそのような人物は確認できない。

・まったく無名の絵師が国宝に使うようなとても珍しい絵具を使えるのか？
・いや知られていないだけで逸翁は優れた絵師なのではないか？
・薬師堂の格天井板絵は国宝級なのでは？

期待とともにさまざまな憶測が生まれたが、この時点では確実なことはわからない。

後に、このことを報告したことをきっかけに、各地で緑色の顔料の分析調査がおこなわれ、現代人がこれまでは緑青しかないと思っていた緑色の顔料には、亜鉛とヒ素を含むものもあることがわかってきたのである。

少なくとも江戸時代の前期までは使われていた」というのが真実のようだ。

八　地方に残る文化財を調査することの意義

国宝や重要文化財といった、〝誰もが認める〟、〝優れた〟、〝きれいな〟、〝有名な作者の作品〟は、いつの時代も注目を集める。それらに対する最先端の機器を使った調査などもこぞっておこなわれていて、いっそう文化財の価値を高めるようなさまざまな成果が上がっている。

一方で、地方に埋もれた、未指定の文化財への視線は決して多くはなく、場合によると、文化財としての認識すらされることなく埋もれているものも少なくはない。

そんななかで、学生たちの力を借りて記録を取り、保存のためのさまざまな調査を開始した一地方のお堂の中の文化財が、これまで知られていなかったことを明らかにするきっかけになったことは、調査に参加した学生たちの励みにもなるとともに、奈良大学のような小さな大学がおこなう文化財の調査でも、文化財のためになるという証明となった。

新温泉町薬師堂の調査は、現在七年目を迎えている。すでに地元の方々との確かな信頼関係ができあがっていて、毎年、温かく受け入れていただいている。これまでにも、地元の小学校での出前授業や、地元住民への調査成果報告会、観光資源として活用するガイドグループとの協働作業など、地元に溶け込んだ活動もおこなってきていて、すっかり夏

図6　調査メンバー集合写真

休みの恒例となっている（図6）。

現在、新たに奈良大学に導入された可搬型蛍光X線分析装置を用いて、現場においてすべての板絵の材質分析をおこなうことも計画中である。これには少なくとも二、三年はかかるだろう。

今後もさまざまなことを調査して、その成果を地元に還元するとともに、文化財の価値を高めつつ、その保存を目指し、一方では、これ以上ない素晴らしい環境を実地教育の場として使わせていただくこの取り組みはまだまだ続く予定だ。

〔参考文献〕

魚島純一「兵庫県新温泉町湯区に所在する薬師堂格天井板絵等の保存に向けた調査」『文化財学報』三六、奈良大学文学部文化財学科、二〇一八年、四一－七二頁
魚島純一・坂本直也「亜鉛とヒ素を含む銅系緑色顔料を用いて彩色された江戸時代の板絵」『奈良大学大学院研究年報』二四、二〇一九年、一－八頁

第4章

3Dデータを活用した文化財の研究・展示・教育

今津(いまづ)　節生(せつお)

一　はじめに

奈良大学文化財学科に入学した皆さんに、私が最初の授業でお見せするのは、3Dプリンターで作成した複製品（デジタル複製品）である。ここでは、教科書や参考書で見た文化財の写真、博物館でガラス越しに見た文化財の複製品を手に取ってみて観察することができる。たとえば、卑弥呼の墓という説もある箸墓古墳の周濠から発見された仮面の複製品を手に取って、被るようにして友達と写真を撮りあうことで楽しむこともできる。みんなでわいわいがやがや文化財の複製品を観察していると、博物館でガラス越しに見る展示物では気がつかなかった発見がある。どうやって作ったのだろう、何に使ったのだろうという素朴な疑問もわいてくる。文化財の研究は、本物を見て、触れて、感じることから始まるので、忠実に作られた複製品からも多くの情報を得て、感動することができる。

今世紀の文化財研究で最も発展する可能性のある分野はデジタル技術の応用である。X線CTスキャナや3Dデジタイザなどを使って文化財から3Dデータを計測し、3Dプリンターを使い、デジタル技術を応用して複製品を作り出す。医学や工業で使われている最先端技術が文化財に応用されることによって、新しい形の文化財研究や展示・教育への応用が始まっている。いま奈良大学は３Ｄデータを活用した文化財の研究・展示・教育において、研究をリードしている大学の一つである。

二　文化財の３Ｄデータが持つ潜在能力と魅力

文化財は、その内部に文化財が作られる経緯や技術、使われ方や修理などの歴史、信仰や願いなど多くの情報を抱えている。しかし、これまで文化財の内部は修理のような限られた機会に、限られた研究者が観察して写真や図面で記録するか、Ｘ線透過撮影や超音波検査のような二次元の画像調査によって行われてきた。ところが、近年Ｘ線ＣＴスキャナを核にして、３Ｄデジタイザや３Ｄプリンター等の三次元計測機器を使い、文化財を三次元で計測することが可能になったことで、非接触・非破壊で目には見えない文化財の内部情報を、研究者ばかりでなく、学生や一般の人も含めて、多くの人が見ることができるようになった。しかも、計測した詳細な３Ｄデータなので、繰り返して再現し、時には３Ｄプリンターで出力したデジタル複製品を手元に置いて、多くの人が共通認識しながら検討することができるようになった。

Ｘ線ＣＴスキャナや３Ｄデジタイザ・３Ｄプリンター等の三次元計測機器を核にした新しい研究方法によって、写真や実測など従来の二次元的な記録方法からでは導き出すことができない、製作技術の解明や修理の履歴、材料の違い、さらには施主や制作者の信仰や人びとの願いにも通じる情報が記録できるようになった。文化財の三次元情報は二次元で表現するよりも豊富な情報を内包している。なぜなら、３Ｄデータは実物と同じく観察する人の発想と視点によってさまざまな情報を引き出すことができるからである。

私たちは、三次元情報をさまざまな分野の研究者が共有し、繰り返し観察することによって、議論とともに新しい研究基盤を構築できると考えている。その結果、市民への研究の還元と文化財の活用がよりいっそう進展することを期待している。蓄積してきた3Dデータを美術史・工芸史・考古学・保存・文化財科学・修復技術など多分野の研究者が共同で考察し、その結果を活用することによって、これまでにない新しい展示や教育や研究基盤を構築できる可能性がある。具体的には、文化財の構造・技法や材質の解析、保存・修復に関する情報の蓄積、博物館展示や学校教育への活用の可能性などである。

文化財の3Dデータを蓄積し、解析して活用する研究は三つの方向に期待が膨らむ。まず、文化財の内部構造や制作技法の解明に関する研究を飛躍的に進展することが期待できる。CTデータは位置情報と透過度情報を持つので、文化財の材質を推定することに役立つ。すでに、木造彫刻の木取りや樹種の推定に使われ始めている。また、「文化財の健康診断」を含めた保存・修復必要な研究とともに、文化財が壊れることを未然に防ぐ予防的保存に役立てることもできる。さらに、3Dデータを使って博物館での展示や学校教育への活用も可能になる。たとえば、3Dプリンターで作成したデジタル複製品は、本物を理解するための最適なハンズオン資料として、市民や学生が文化財を理解するために役立てることも可能になる。図1で学生が手にしていた箸墓古墳から発見された木製の仮面は、桜井市内の小学校に寄贈されて小学生が複製品を手に取って楽しんでいると聞いている。また最近では、3Dプリンターで作成したデジタル複製品を使って過疎地域の文化財防犯に役立てる「お身代わり仏像」を学生たちが参加して制作する動きも活発化しており、さまざまな場所で多様な活用方法が模索されている。

図1　デジタル複製品に触れて学ぶ

三　研究事例と今後の活用の可能性

ここでは、X線CTスキャナと3Dプリンターを中心に、これまでに私たちが行った研究のなかから具体的な調査事例を紹介する。文化財の内部構造や制作技法の解明に関する研究、文化財の健康診断を含めた保存・修復に関する研究、博物館展示や学校教育への活用という視点から、3Dデータを活用した新しい文化財研究の方向を探ってみたい。

国宝阿修羅像の調査から見えてきた新事実　興福寺の国宝阿修羅像は、今からおよそ一三〇〇年前に造立された天平時代の彫刻である。天平五年（七三三）に聖武天皇の妃・光明皇后が亡き母の橘三千代の菩提を弔うため、興福寺西金堂の造営を発願した。その際、阿修羅像や迦楼羅像などの八部衆立像や十大弟子立像が製作された。これらの仏像は粘土で原型をつくり、表面に麻布を貼り、像内の粘土を除去して中空にするとともに、麻布の表面に漆木屎（うるしこくそ）を盛り付けて塑形する脱活乾漆造りという方法で作られた。そのため、阿修羅像は身長が一五三センチメートルあるにもかかわらず、体重は一五キログラムの軽さである。興福寺は鎌倉時代の南都焼き打ちなど、平安時代から江戸時代まで七回も火災に見舞われ、その度に再建されてきた。阿修羅像などの八部衆立像や十大弟子立像は、その時々の人びとの勇気と努力により、火災から救われ、修理されていまに伝えられてきた。

阿修羅像は鎌倉時代と明治時代に修理した記録があるだけで修理内容もはっきりしない。ところが、二〇〇九年に行われた「国宝・阿修羅展」の際に九州国立博物館で実施したX線CTスキャナの調査を契機にさまざまな事実が明らかになってきた。この調査データは、阿修羅像全体を三六〇度から九〇〇枚のX線写真を撮影しコンピュータで立体的に情報化したものなので、何度でもどんな方向からでも観察することができる。最初は気づかなかった小さな痕跡も、何度も観察して多くの研究者が議論することで理解が進む。

たとえば、医師団が患者の病気や怪我の原因や対処方法をＣＴスキャナの画面を見ながら議論する場面のように、私たちもさまざまな方面から何度も阿修羅像を観察して議論した。議論の結果を画像として残しながら、将来の研究者が検証可能な画像を蓄積することに努めた。そこから、阿修羅像を制作した工人の大胆で繊細な技術を探ることができるようになった。調査の結果として、阿修羅像の修理痕跡や制作方法を調査している間に、阿修羅像は当初から両手を胸に合わせて合掌している姿であったことが判明した。

阿修羅像は制作されてから一二八〇年の間に、厳しい環境変化に置かれ、幾多の災害を乗り越えてきた。明治以降の修理は記録されているものの、それ以前の記録はない。記録のない過去にどのような修理が行われてきたのか？　長年の間に虫食いは進んでいないのか？　構造的に脆弱な部分は存在しないのか？　表面に見える細かな亀裂はどこまで進んでいるのか？　このように表面の観察からではわからない健康状態を把握できれば、今後の維持管理を行うための重要な情報となる。さらに、定期的に健康診断を行えば、小さな変化を発見することが可能となり、将来の修理計画の立案にも役立つことが期待できる。

阿修羅像は奈良時代以来、火災や地震、戦災などをくぐり抜けて現在まで伝えられてきたが、転倒などで六本ある腕のうち数本が損なわれている。一八八八年（明治二一）に撮影された諸仏の集合写真でも合掌手の手先が欠損しているのが確認できる。現在の阿修羅像は一九〇二～一九〇五年（明治三五～三八）に日本美術院の岡倉天心や新納忠之介らが修理した。この修理で最も正面に近い左右二本の腕（第一手）のうち、肘から先がなくなっていた右腕などが木彫で補われた。二本の腕は体の正面よりわずかに左寄りの位置で合掌する姿になり現在に伝えられている。ＣＴデータの計測値から見ても現在の合掌した両手は正中線から二二ミリ左寄りに位置しているのがわかる。ところが、修理前の一八九四年（明治二七）に撮影された写真を見ると、阿修羅像の右の第一手が欠失している。他にも、現在の阿修羅像との違いが見える。それは、左手の位置が身体の中心から左にずれていること、修理前の写真の左手の手のひらは外に向かって開いており合掌していたにしては不自然なこと、修理前は両脇が締まり、肘が下がっているのに対して現状は肘が外に広がるように張っていることなどである。

この矛盾はCTデータの解析によって明らかになり、第一手の両腕は明治の修理以前に破損していたことが判明した。修理前に撮影された一八九四年（明治二七）の写真に写っている亀裂部分をX線CTスキャナで観察すると、同じ場所に接着した痕跡を確認した。おそらく、修理前の写真を撮影した時点では、阿修羅像の第一手は折れて両腕が不安定でぐらつく状態だったと考えられる。

また、両腕の脇の下に木屎漆と思われる接着剤が詰められており、両肘を外側へ開き気味に押し上げていたことがわかった。さらに左肩の内部を見ると、肩と腕を固定する釘が抜けて隙間ができていた。釘穴の位置を元に戻すと両腕は脇が締まり左腕は斜め右上に一三ミリ移動する。これらの観察結果から阿修羅像を当初の形に復元すると、両腕は脇が締まり、左腕は斜め上に移動することになる。その結果、両手は正中線にほぼ合致することが判明した。

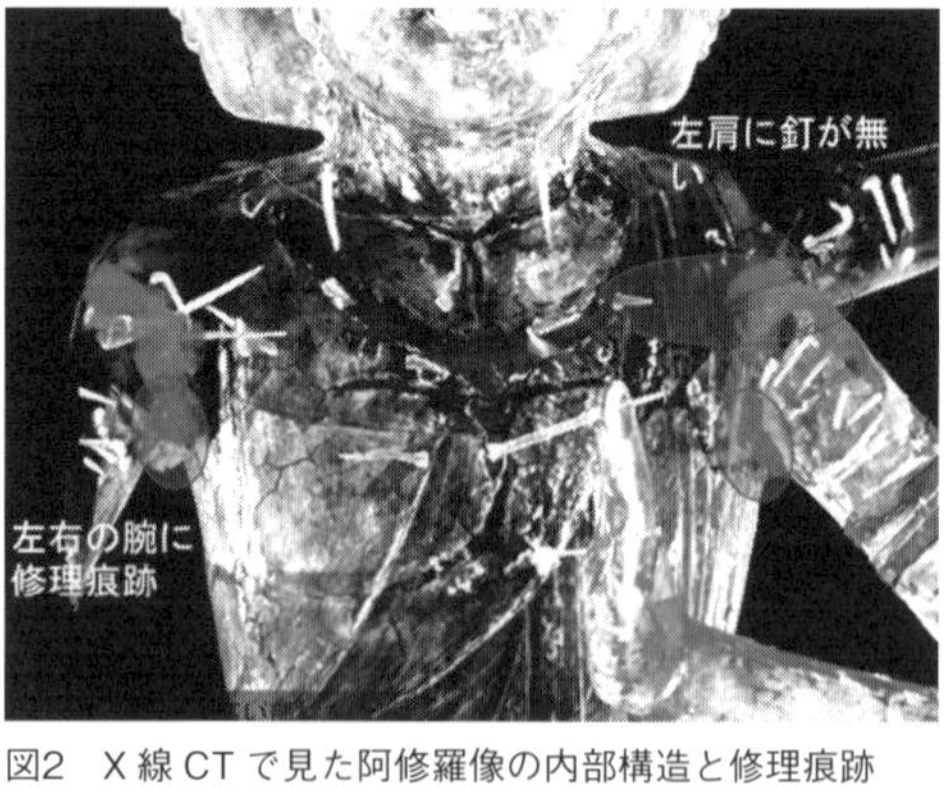

図2　X線CTで見た阿修羅像の内部構造と修理痕跡
修理で変形しているが阿修羅像の両手は、本来は正中線に合致することが判明した。

また、X線CTスキャナ調査から得た三次元情報を3Dプリンターなどの最新の工業技術を使って再現することによって、誰も知ることができなかった阿修羅像制作時の秘密を明らかにできた。もう一つの新事実は、現在の阿修羅の顔の内側に残る凹凸を反転した結果、塑土（粘土）原型の顔を新たに発見したことであり、現在のお顔とは違っていることが判明した。阿修羅像をはじめ天平時代に造られた仏像の多くは脱活乾漆で造られている。脱活乾漆造りは、塑土（粘土）で原型をつくり、その表面に麻布を貼り固めたのちに、像内の粘土を除去して中空にするとともに、麻布の表面に漆木屎を盛り付けて塑形する仏像制作技法である。脱活乾漆像の内側は中空なので内側の麻布の圧痕に粘土原型の凹型が残っている可能性がある。Ｘ線ＣＴスキャナ調査の結果、塑土原型の凹型を発見したので、データを反転して３Ｄプリンターを使い塑土原型の凸面の顔を造形した。さらに、塑土原型の顔に麻布と木屎漆を盛り上げて、三つの顔を再現することもできた。

　阿修羅は三面六臂で何人分もの働きをする。現在の阿修羅像の顔の内側に残る麻布の凹凸を反転した結

図3　阿修羅像の内部と塑像模型

図3　阿修羅像の内側に隠れた顔（左：塑土原型からの造形、右：現在のお顔〔3D プリンタ模型〕）

果、塑土の顔が新たに現れた。さらに、内側の塑土原型の顔に麻布と木屎（コクソ）を盛り上げて作った顔を三面それぞれに再現した。通常、脱活乾漆像を造る場合は、塑土で原型を造り、これに麻布を貼り重ねてから中の土を取り除き、布上に木屎を付けて仕上げる。原型を細部まで造り込み、原型の形と完成形はほとんど同じである。しかし、阿修羅像の原型は、完成像である現在のお顔とはかなり違っていた。左脇面の原型は、わずかに怒りを含んだような、きりっとした青年相である。これに木屎を付けると両眉の蕨手状の眉頭が密着するために険しさが強調される。中央面の原型は細面で表情はきつく、特に両眉が連なっていて、これに木屎を付けても完成像のような柔和な表情にはならない。右脇面は頬に膨らみがあり、下唇を噛んだ完成像と大きく違う。下唇があり、口がわずかに開いている。このように、阿修羅像の顔の内側に残る塑土の顔に木屎を付けても現在の阿修羅の三つのお顔とは違った表情が浮かび上がってきた。

モンゴル軍が眠る鷹島海底遺跡から発見された武器の調査

一三世紀、大陸ではチンギス・ハンがヨーロッパまで広がるモンゴル帝国を築いていた。第三代の皇帝であったフビライ・ハンは二回にわたって日本を攻撃した。鎌倉時代の中頃、一二七四年（文永一一）と一二八一年（弘安四）の二回にわたり行われたモンゴル軍の日本侵略を蒙古襲来あるいは元寇と呼んでいる。一二八一年の弘安の役では、四四〇〇隻の船団が長崎県の平戸に集合して博多の総攻撃を目指したが、長崎県松浦市の鷹島付近で台風を避けるために停泊した際に暴風雨によって壊滅的な被害を受けたと言われる。元寇終焉の地である鷹島海底遺跡は水中遺跡として初めて国の史跡に指定された。鷹島の海底からはモンゴル軍に関連するさまざまな遺物が発見されている。鷹島海底遺跡から発見されたモンゴル軍の武器のなかでも鉄製品の多くは、貝殻が厚く遺物の表面に付着しており、形状が判断できないほど厚く錆に覆われている。海底から発見された遺物の多くは形状が不明瞭で錆化が進んでいるので、外観からは遺物の形状を把握すること難しい。そこで、海底から発見された遺物の調査には、正確に遺物の形状や内部構造を把握できるX線CTスキャナや、三次元情報から複製品を作成できる3Dプリンターが効果を発揮する。

炸裂弾「てつはう」 蒙古襲来絵詞に「てつはう」として描かれているモンゴル軍が使用した最新兵器の炸裂弾である。「てつはう」は、直径一五センチメートル、陶製で球形の器に火薬を詰め爆裂させたと考えられている。X線CTスキャナ調査の結果、内部には短冊状に割った鉄片と陶器片様のものが詰められていた。鉄片には気泡が観察できることから、鋳鉄を使用していることがわかる。「てつはう」の内部に入っていたものを3Dプリンターで作成すると、陶器の破片や鉄の破片であることが判明した。鉄の破片は鋳鉄の鍋のような容器を長さ二センチほどに割って入れていることが判明した。鉄片や陶片は火薬の爆裂とともに破砕して強い殺傷能力を発揮したと考えられる。開口部付近には繊維質の痕跡が見られ、導火線あるいは有機物の内蓋があったと考えられる。

モンゴル軍が使った巨大な矢 矢を入れる胡録(ころく)と考えられる漆塗りで革製の容器と矢束である。錆による溶着が激しく、肉眼では鏃(やじり)の形状や矢の本数を調査することはできない。X線CTスキャナ調査によって、質量の小さい泥や錆の情報を取り除き矢束の形状を明らかにすることができた。さらに、横断面の観察から六四本以上の矢が格納されていることがわかった。また、錆などの表面情報を

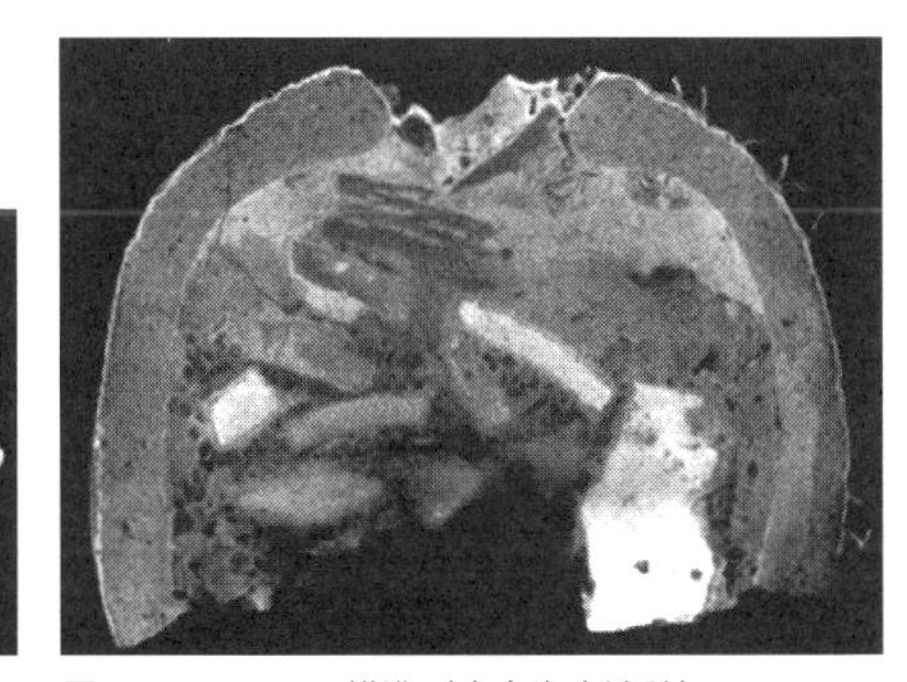

図4　てつはうの構造（鷹島海底遺跡）

図5　モンゴル軍が使った矢（鷹島海底遺跡）

削って、鏃の形状を明らかにした。その結果、刃の長さが六センチにもなる大型の鏃であることが判明した。蒙古襲来絵詞に描かれているように、モンゴル兵は日本の武士に向かって至近距離から矢を射たことが想像できる。なお、矢の棒（篦）は日本製のような竹ではなく木製であることも判明した。

以上のように、鷹島海底から発見された遺物は厚い貝殻と泥に覆われ形状を把握することが困難な状況であった。特に金属遺物は貝殻と錆が厚く覆い、内部は空洞化していた。これまでは透過Ｘ線撮影などによって形状を把握しようと努めてきたが不十分であった。Ｘ線ＣＴスキャナ調査によって、貝殻と錆に覆われ、空洞化した遺物についても、三次元の形状把握や断面調査や内部の構造調査や計測が可能になり、考古学や保存科学に必要な基礎情報を提供することが可能になった。

四　まとめ――デジタル複製品の活用

Ｘ線ＣＴスキャナや３Ｄプリンターなどの三次元計測機器は文化財の科学的な調査研究にとって不可欠な存在になりつつある。Ｘ線ＣＴスキャナは文化財の保存・活用・教育を目的とした博物館の重要性をさらに高めることが期待できる。また、３Ｄプリンターで造形したデジタル複製品は博物館の展示や学校教育に幅広く役立つ可能性がある。従来、博物館のケースの中に展示されていた「本物の代用」としての複製品ではなく、手に取って触れて感じることができる「本物を理解する」ためにデジタル複製品を活用する可能性が広がっている。さらに、遺跡や社寺など、文化財が発見され生まれ育った環境のなかで復元展示することで、周囲の環境も含めて永く伝えられてきた本来の風景を蘇らせることもできる。文化財の３Ｄデータの活用は研究資料や博物館だけにはとどまらず、やがて映像や観光や地域の町おこしにも役立つ日が近いことを期待したい。

第5章
文化財の保存修復と科学調査
――X線CTスキャナと遺伝子解析による健康診断

杉山（すぎやま） 智昭（ともあき）

一 文化財の保存修復について

文化財の保存修復と「健康診断」 紀元前の哲学者ヘラクレイトスが説いたように万物が流転していく世の中において、すべて形ある「モノ（物質）」はいつかその姿を失う宿命にある。この事実は幾多の「ヒト（生命）」の想いが織り込まれた貴重な文化財においても例外ではない。いかに厳重な保管体制を整えていたとしても、長い時間の経過により生じる「モノ」の劣化を完全に抑えることは不可能である。文化財の保存修復という行為は「モノ」にとって逃れることのできない劣化をいかに「遅らせていくか」について、追及することを目的としている。

文化財に対して適切な保存修復を実施するためには、まず「モノ」としての現在の状態について詳しく知ることが必要となる。これは人間にたとえると「健康診断」に相当するものと言える。この「健康診断」の結果により、はじめて明確な根拠をもって文化財の「治療」や「経過観察」にあたることが可能となる。実際の診断においては対象となる文化財が何でできているのか（素材）、どのように製作されているのか（構造）、変色、汚損、ひび、錆、部材欠損、虫害、菌害などはないか、ある場合にはその範囲・

進行程度はどれくらいか（劣化状況）などについて調査することになる。

文化財を調査する方法　文化財を診断するための具体的な手法としては、従来より目視による外部観察や、解体修理に伴う内部構造の観察が行われてきており、今日においても依然、その重要性に変わりはない。しかし、目視によって得られる情報は表面に限られ、解体修理が可能な場合においても、文化財を構成する各部材の内部がどのようになっているのか知ることはできない。また、ヒトの目は可視光（人間の見える光）の波長範囲内で観察されるモノの状態しか捉えることができないことも課題となっている。さらに菌類など微小な生物によってもたらされる状態変化を初期に発見することは困難を極める。

そこで近年では、X線、紫外線、赤外線、テラヘルツ波などの電磁波や、ATP（アデノシン三リン酸）、DNA、RNAといった生体高分子を用いて、人の目では捉えることのできない文化財の状態を診断する活動が盛んに行われるようになってきた。本稿では、例として文化財の状態を調査する際に用いられるX線CTスキャナと遺伝子解析技術を取り上げ、その概要を紹介する。

二　X線CTスキャナを用いた文化財の調査

X線CTスキャナとは何か　近年、ヒトの医療だけでなく、文化財の調査においても三次元のレントゲン撮影装置とも言えるX線CTスキャナが使用されるようになってきた。X線CTとはX線コンピュータ断層撮影の略であり、被写体を三六〇度回転させながら片側よりX線を照射し、透過したX線を対面に設置した検出器で受け、X線の透過度情報をコンピュータで処理し、立体画像として表示するものである。得られた立体画像については任意の面で自由にスライスし、断層画像を表示することが可能である。この方法によると文化財に直接触れることなく、そのままの状態で安全に内部の状態を詳しく観察することができる（図1）。

調査例（一）：漆器　図2はアイヌ民族に伝世した漆器（「シントコ」と呼ばれる大型の脚付行器）の三次元CT画像である。この資料は一見したところ、シントコとして登録されている他の多くの行器と同様に「曲物（まげもの）」として製作されているように見える。一般的な曲物の構造については繊維方向に細い幅で切りそろえた薄い木の板を煮沸し、輪のように曲げ、一周した重なり部分を樹皮で綴じたものを重ねて製作されている（図3）。したがって、曲物の断層画像を連続して確認した場合、外に現れている段状構造（一つ一つの輪）が繊維方向を横にした細い木の板として、それぞれ独立した形で観察されることとなる。しかし、この資料については、断層画像から外側の段状構造が内部で一体化し、繊維方向を縦にした板目の一材から構成され、「綴じ」の構造も存在しないことが明らかとなった。この結果は、外見上、「曲物」として製作されたように見える当該資料が底板と脚部以外、蓋・本体ともに、ろくろを使って一本の木材から竪木（たてぎ）取りで削り出された珍しい大型の「挽物（ひきもの）」（図4）であることを示している。

このような大型の木製品を挽物として作り上げた場合、木材の性質から「割れ」が発生しやすくなる。本調査においても断層画像から木地の内部に大きく発達した割れが確認された。また、表面を目視で調査した際、重大な欠点が確認されなかった蓋（ふた）について断層画像の解析を行った結果、内部に空洞を伴ったき

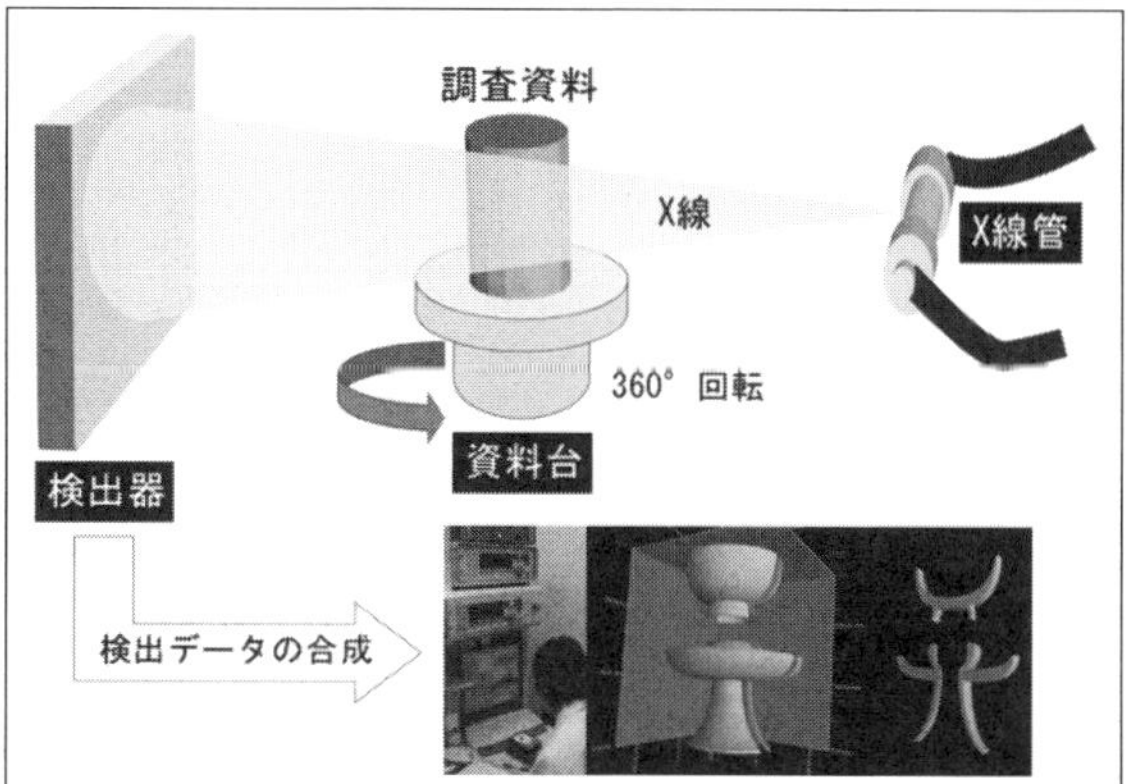

図1　X線CTスキャナによる文化財の調査

わめて脆弱な部分があることが判明した（図2）。見つかった空洞は、木材の節穴（死節）に由来するものと推測され、その範囲が表層近くまで達していることも明らかとなった。この漆器資料については、現時点で表出していない割れや空洞に不用意な力を加えたり、温湿度管理を誤った場合、容易に破損することが予測される。本事例は、文化財保存修復、活用の方法を考えていく上で、外部観察では発見することができない素材の使い方、構造に起因する隠れた文化財の「病巣」を「診て」、「カルテ化」し、取扱いに関する「マニュアル」を整備しておくことの重要性を強く示唆するものである。

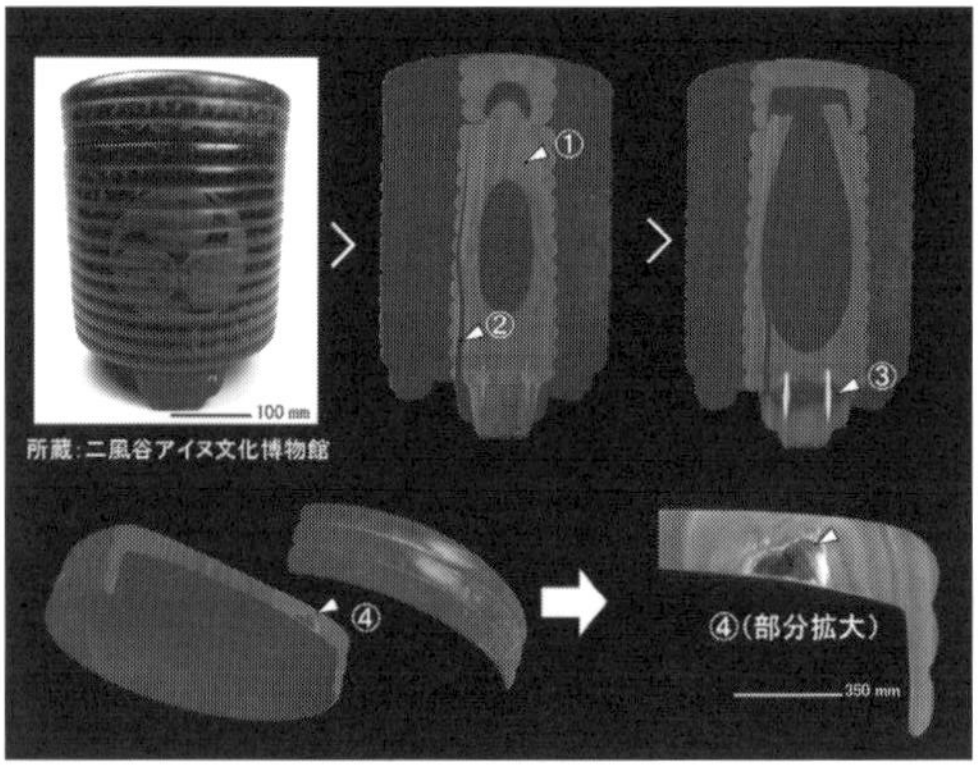

図2　漆器（行器）の三次元CT像
①：連続する板目パターン　②：割れ
③：合釘　④：内部空洞

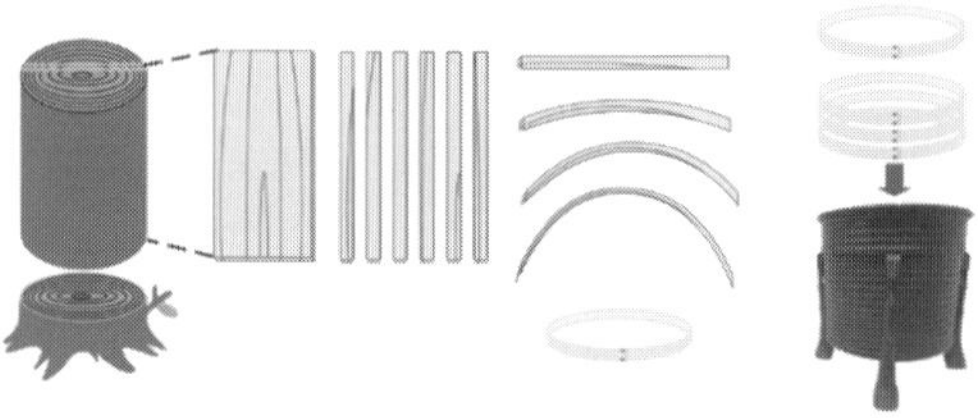

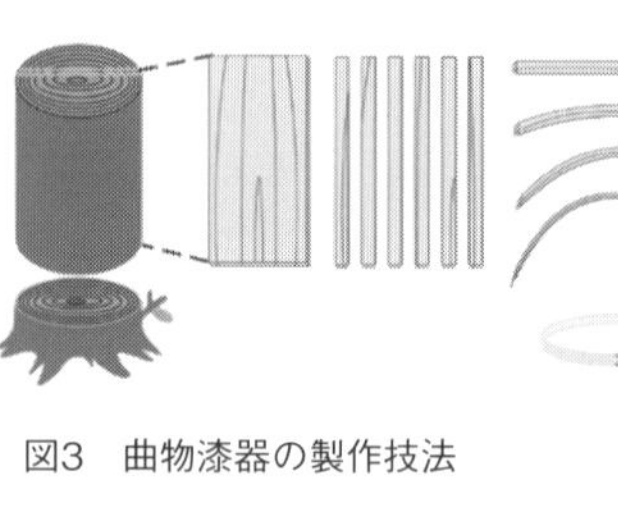

図3　曲物漆器の製作技法

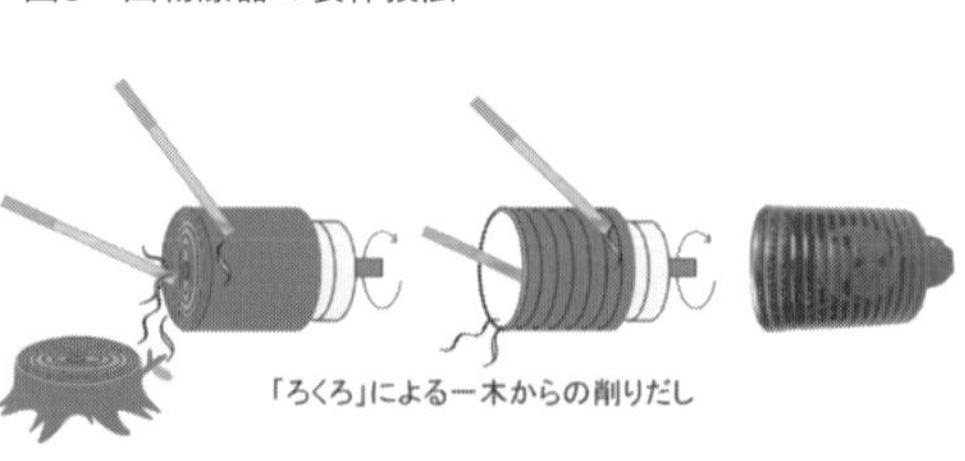

図4　調査資料（挽物漆器）の製作技法

調査例（二）：木製杵　図5はシバンムシ類によって食害を受けた木製杵の三次元CT画像である。本資料については食害が報告された際、緊急に低酸素濃度処理による殺虫を実施し、その後、目視とルーペを用いて全体の外部観察を行った。その結果、①表面に成虫の脱出孔が広範に分布していること、②資料内部より虫糞と木屑が粉体となって流出していることが確認された。しかし、資料内部の劣化状況に関してはそれ以上の客観的な評価を行うことができなかった。次に資料に対してＸ線ＣＴスキャナを用いた調査を行ったところ、内部には広範囲にわたる深刻な虫孔が縦横無尽に生じており、あたかも「骨粗鬆症（こつそそうしょう）」のような状態にあることが判明した。特に杵を手で持つための細い「握り」の内部には深刻な密度低下が観察され、この部分を持つと即座に折れて破損する可能性が高いことが明らかとなった。

文化財害虫によって食害を受けた資料については、その劣化の程度に応じて、注射器などを用いて樹脂を注入する、もしくはポリエチレングリコール（ＰＥＧ）や糖アルコールなどの物質を含侵させ強化するなど、適切な保存処理をしなければ、資料を取り扱うこと自体が困難となる。一方で保存処理の必要性や具体的手法の選択について判断するには表面だけではなく、資料全体にわたる劣化状況を詳細に把握しなくてはならない。この点においてもＸ線ＣＴスキャナによる調査は大きな役割を果たす。さらに、本資料についてＸ線透過度の違いから画像処理によって高密度部分の抽出を試みた結果、活動中の文化財害虫の生体（水分）に由来する明瞭な画像はまったく認められなかった。このことは、資料内部における文化財害虫の死滅を示唆するもので、今回実施した低酸素濃度処理による資料の殺虫が十分に行われたことを証明するものである。このように、Ｘ線ＣＴスキャナは文化財に対して各種殺虫処理を実施した後に、その効果を客観的に判定するための

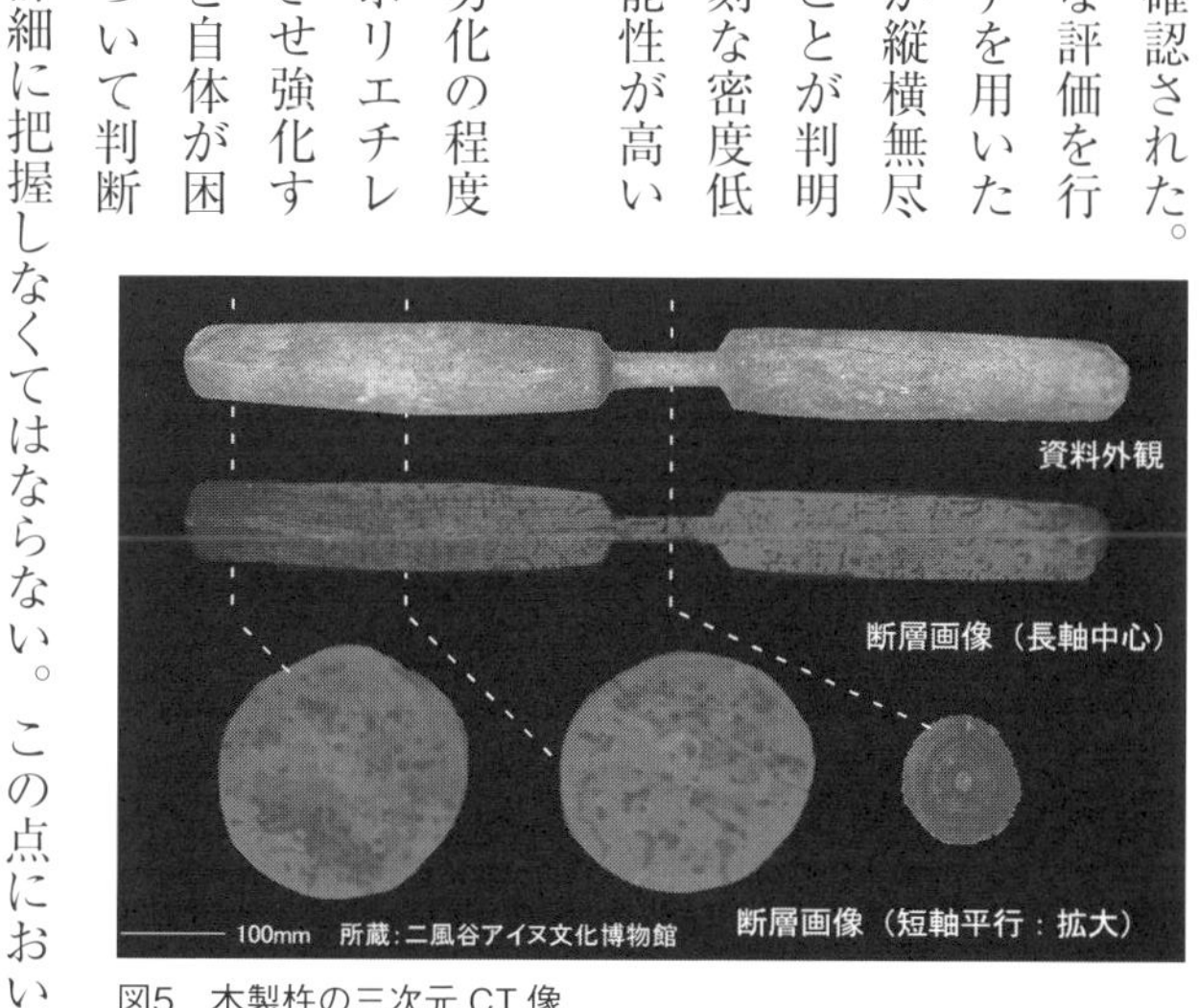

図5　木製杵の三次元 CT 像

ツールとしても応用可能である。

三　遺伝子解析による歴史的木造建築物の調査

遺伝子解析による木材腐朽菌のモニタリング　植物由来の有機物である木材は常に虫や微生物による生物劣化（分解）の危険にさらされている。そのため、木造の文化財に発生する生物劣化を防止・抑制するためには、劣化を引き起こす生物の侵入・活動を初期に把握し、被害が拡大する前に適切な処置を施す必要がある。文化財の生物劣化のうち、虫害に関しては目視観察による徹底した日常点検の実施により、加害開始の兆候を比較的初期の段階で捕捉することが可能である。それに対し、菌類や細菌類など微生物による加害については、劣化現象がごく微小なスケールで進行していくため、目視観察や触診など従来の方法により、その状況を客観的に診断することに困難が伴う。また、木材腐朽菌（担子菌）と呼ばれるグループについては、菌糸を侵入させた後、短期間で木材を急速に分解（腐朽）していくため、特に屋外にある木造文化財にとって大きな脅威となる。したがって、①木材腐朽菌の高感度検出、②木材腐朽菌の生理活性確認を可能とする技術開発は木造文化財の適切な保存修復を考えていく上で、長らく重要な課題であった。

近年、これらの要求を満たすものとして、ヒトの医療における病理診断と同様、遺伝子解析の技術が導入されるようになり、効果を上げている。実際の手順としては、調査対象となった木造文化財の部材から木材腐朽菌の微量なＤＮＡやＲＮＡを抽出し、遺伝子増幅操作（ＰＣＲ法、ＬＡＭＰ法など）を実施した上で、木材腐朽菌の侵入範囲や生理活性の有無（生菌・死菌の判断）についてモニタリングを行うこととなる。

歴史的木造建築物の健康診断　図６は腐朽被害を受けた明治期の歴史的木造建築物の部材について遺伝子解析を行った結果の一例を示したものである。部材の調査箇所は外見上、まったく健全な状態と判断されていたものであったが、遺伝子分析を実施したところ、二か所より木材腐朽菌の遺伝子が検出されている。このような遺伝子解析による情報は、①木造建築のどの部分まで「病巣」が広がっているのか、②保存修復に際して「経過観察」、「薬剤投与（殺菌処理）」、「手術（部材交換）」のいずれが適切であるのか、③保存修復を行った後の「再発」、「転移」はないか、について客観的な判断基準を提供する。

通常、屋外にある木造文化財の修理・修復については、可能な限りオリジナルの部材を失わない形で実施することが求められる。しかし、すでに腐朽が大きく進行している対象については、安全確保の観点からオリジナル部材の大幅な損失（交換）を許容せざるを得ない。一方、現在では年輪年代測定や放射性同位体の測定などの科学的な手法によって建築部材からもさまざまな情報を得ることができる。したがって、部材の腐朽による交換は文化財に隠されている貴重な「情報」を失うことにつながる。このような文化的損失を避ける上で、遺伝子分析を用いた目に見えない「病巣（木材腐朽菌）」の検出とモニタリングは大きな力を発揮する。

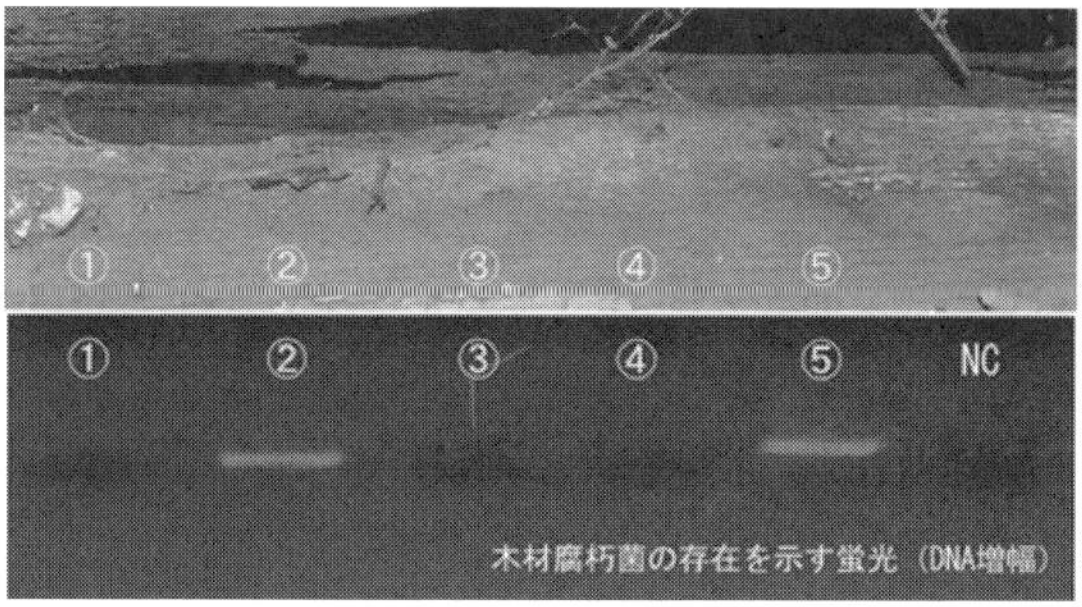

①　②　③　④　⑤

①　②　③　④　⑤　NC

木材腐朽菌の存在を示す蛍光（DNA増幅）

①～⑤：健全判定部位

NC：コントロール

図5　木製杵の三次元CT像

四　文化財の保存修復と科学調査のこれから

文化財は死蔵されるものではなく、なんらかの形で広く人びとに公開・活用されてこそ、その価値を発揮する。しかし、現世代の都合のみで文化財を消費的に活用することは決して許されるべきではない。ここで述べた保存と活用という相反する行為の整合性を図ることは、文化財に関わるすべての人間にとって永遠の課題である。この困難な課題に向き合っていくためには、文化財の現状を正確かつ詳細に把握し、適切な公開・活用、保存修復を繰り返すサイクルの構築と運用が必要となる。科学調査は、構築・運用するサイクルの妥当性を客観的に評価し、文化財を守り伝えていく活動の方向を正しく指し示すものとして、今後も大きな役割を果たしていくであろう。

第6章 文化財学科の美術史学

原口志津子（はらぐちしづこ）

何かモノを目にして、素晴らしい、すごい、美しいと思う経験をすると、誰が作ったのか、いつ作られたのか、どこで作られたのか、どういう事情で作られたのか知りたくなるだろう。美術史学の研究目的の一つは、残された作品の制作状況を明らかにして、その価値を見極めることにある。

一 研究対象

考古学との違い　美術史学の研究対象は美術であるが、考古学とはどう違うのだろう。考古学の研究対象には石室に描かれた壁画もある。埴輪のような立体造形もあれば、焼き物、剣、鏡などの工芸品もある。したがって研究対象は同じと言える。しかし、美術史学が考古学と異なる点は、人から人へと伝えられてきた作品つまり伝世品を研究対象とすることである。出土品を研究対象とする考古学とはこの点が異なっている。

伝世品とは、作られたときから今にいたるまで地上で保護され管理されてきたものである。長い間保管され続けるということは、宗教的な礼拝対象であったり、人を驚かせるほど美しかったり、超絶的な技巧で作られていたり、有名人が所有していたことがわかっていたり、大事にせねばならないと思わせる独特のオーラを持っているということだろう。つまり価値が長期間にわたって評価されてきたということである。もちろん愛でられ続けてきたものばかりではない。倉の中でひっそり忘れ去られたあとに再発見されたものもある。また古代ギリシア彫刻や石仏などを研究対象とする美術考古学や仏教考古学という分野もあり、分野を横断する学際的研究も進んでいる。しかし、美術史学の主要な研究対象は伝世品である。

無傷の伝世品はないことを知る　伝世品は地上にあったぶん出土品に比べれば状態が良いことが多い。それでも無傷とは言えない。何百年かに一度は必ず全面的な修理が施されている。そうでなければ今にいたるまで残らない。

修復の際には、部材を取り替えたり追加したり、絵であれば薄れた線を補ったり（補筆）、剥げ落ちた彩色を補ったり（補彩）することもある。追加されたり補われたりした部分を後補と言う。また、もとの状態では保存が難しいために、形状を変更する場合がある。たとえば、狩野永徳筆とみられる「唐獅子図」右隻（宮内庁三の丸尚蔵館蔵）は、大阪城や聚楽第のような大建築障壁画の一部であったと考えられているが、現在は屛風になっている。「瓢鮎図」（大徳寺蔵）も、現在は詩と画が上下に配される掛幅となっているが、もともとは詩と画を両面に配した衝立だった。奈良大学の美術史学は文化財学科としての美術史学であるから、文化財修復学などの科目で修復についての知識を習得し、後補や形状変更に注意を払うことも学ぶ。

また、正倉院宝物のように、同じ場所に伝来するということはきわめてまれであることも学ぶ。逆に事情があって所有者が変わるのはよくあることで、場合によっては意図的に伝来や由緒を捏造したり、ごまかしたりすることさえあるのだ。そうなると、誰が作ったのか、どういう事情で作られたのかがわからなくなってしまう。ではどうやって読み取ってゆくのか。

二　美術史学の方法

作品の調査　まずは、よく見ること。ダニエル・アラスの名著『なにも見ていない』のタイトル通りに私たちは実は何も見ていない。そのことを自覚することから出発してじっくり見る。そして言葉によって記述する。美術史学で最も大切な作業はディスクリプション（記述）である。言葉で書けないからこその美術ではあるが、何がどのように表現されているのかを正確に認識し、情報を共有しようとすれば言語化することが必要である。美術史学に限らず、人文科学は書記されたものや物質を根拠にして、客観的な事実を明らかにし、その知識を共有することを目的とする。

以下、奈良大学で二〇二三年現在、三回生配当科目の科目・美術史学実習で行っている絵画調査方法をなぞって、「見ること」「記述すること」の実践をしてみよう。奈良大学の実習では一グループに一つの作品が割り当てられ、その作品について一人一人が調書をとる。作品は中世の仏画から近代の帝室技芸員の作品までさまざまである。ここでは三つの作品を例にあげて読み解いてゆこう。

三　仏教絵画の調査

まずは所蔵者のお話をよく聞くことが大事だ。由緒や修復などに関する貴重なお話がうかがえることが多い。しかし、実習用に購入した作品では無理なので、まずは保管箱をじっくり見る。箱の蓋面（ふたおもて）や蓋裏（ふたうら）に何か書かれていないだろうか。この作品は、身と蓋がぴったり合わさる印籠蓋（いんろうぶた）の漆塗りの箱（図1右）に入っていた。箱書（はこがき）はなかったが、箱の蓋裏に紙片が貼られており、そこには、つい最近に書かれたかのような墨色で「當麻寺秘蔵／巨勢有久真蹟　山越阿弥陀如来尊像」とあった（図1中）。この紙や筆跡はそれほど古いものではなさそうだ。漆箱を覆っている紙は帳簿を再利用した紙で、その表にも「山越弥陀」とあった。覆い紙の裏と小口には、毎年の虫干しの日付が書かれていた（図1左）。その日付は大正と昭和のもので、複数の名字の印が押されていた。虫干しに立ち会った当番の人の印かもしれない。お寺の什物（じゅうもつ）ではなく、講（こう）と呼ばれる信仰上の寄り合いや町内会のような地域内組織で輪番（りんばん）（回り持ちの当番）を決めて虫干しを行っていたのだろう。汚れた紙箱だからとうっかり捨ててしまったら、この情報は失われてしまう。一年に一度は曝涼（ばくりょう）（虫干しのこと）を行い、箱の中の害虫の死骸や埃は捨てて防虫剤を入れ直すべきだが、ゴミかと思ったら付属文書や手紙だったりすることもあるから要注意だ。それらから伝来や作者についての重要な情報が得られることもある。

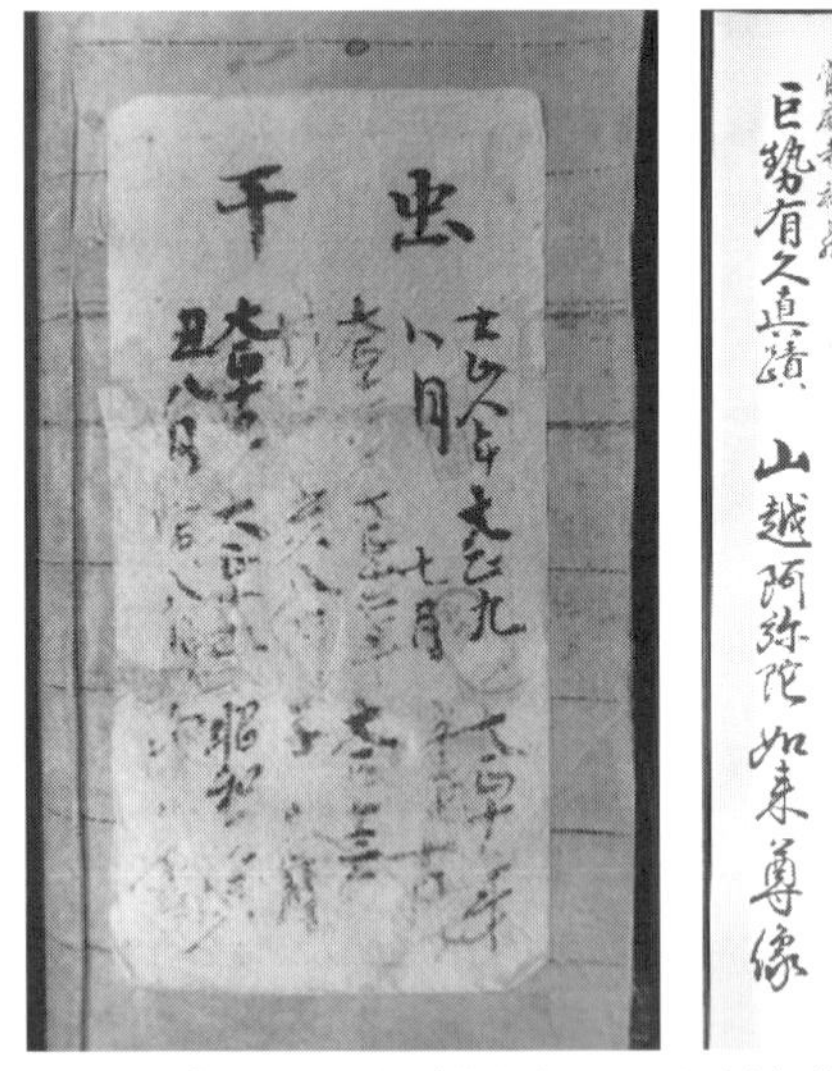

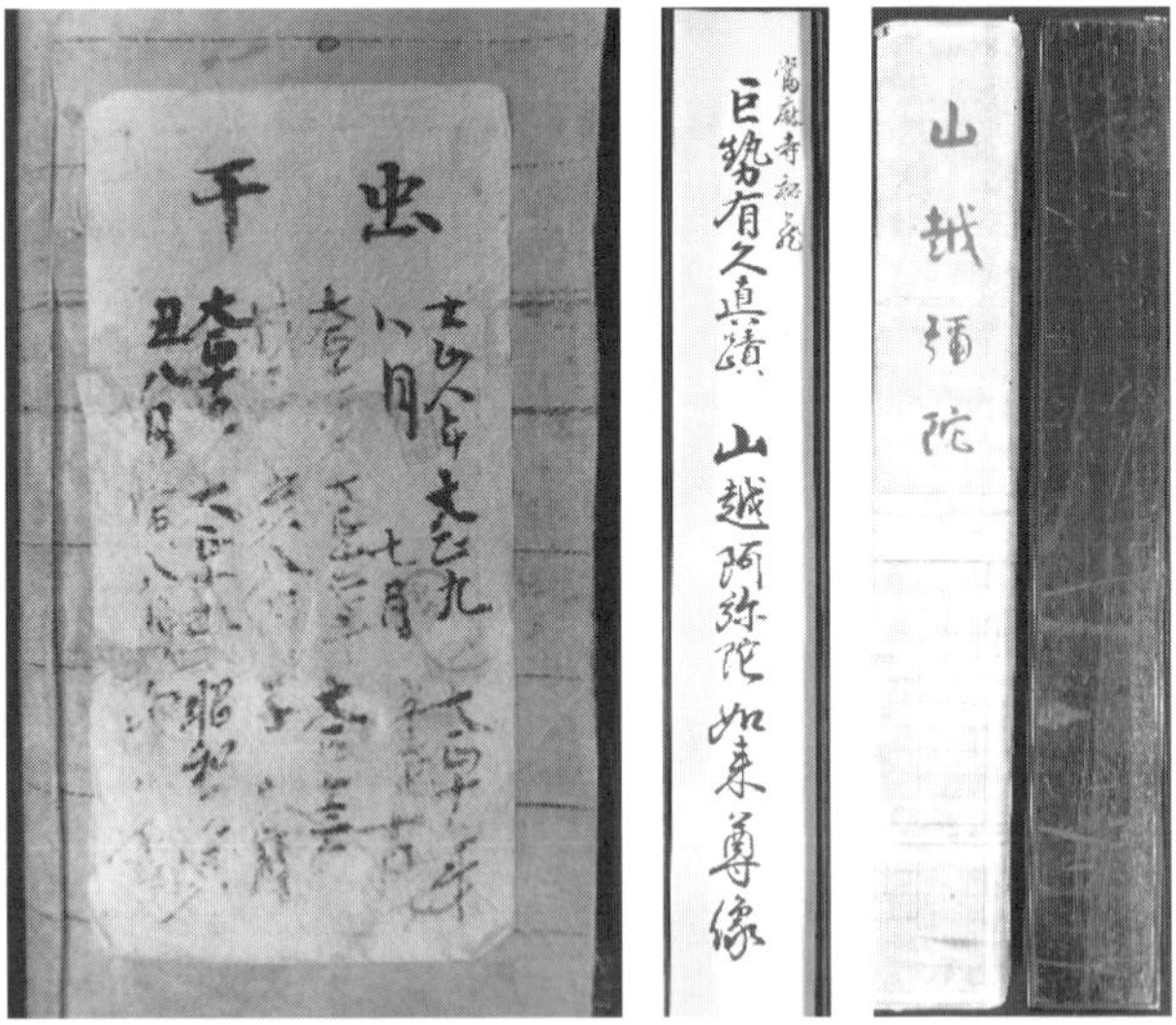

図1　「山越阿弥陀図」箱蓋表と覆い紙（右）、箱蓋裏（中）、紙箱（虫干の記録）「山越阿弥陀図」紙箱表（左）

図2　「山越阿弥陀図」全図
絹本著色截金１幅　本紙縦86.9㎝、横37.4㎝

また表具や軸についている軸端（じくたん）もよく観察する。この作品の場合は、一般的な仏表具で重厚な金襴が用いられている（図2）。遺像（遺影）などの場合、表具に故人の衣類が使われたりすることもあるし、絵の内容に合わせて珍しい裂地（きれじ）が使われることもあるので表具にも注意を払う。この作品の軸端は金属で蓮の文様が鏨（たがね）で打たれている（図3）。軸端の出来映えも制作年代の手がかりになる。おそらくは江戸時代の細工だろう。仏画の場合は金属の軸端が多い。高級な素材としては象牙や黒檀がある。象牙は、取得の年次によっては野生動物保護を目的としたワシントン条約に基づき輸出入できないことがある。しゃれた陶磁の場合もある。安価な素材としてはプラスティックがある。軸端を見ればほぼ作品の格がわかる。

図3「山越阿弥陀図」軸端

箱の情報によれば作品は「山越阿弥陀図」のようだ。しかし、合わせ箱と言って、寸法が合う箱を間に合わせに使うことがあり、箱の情報と中身は違うことがある。絵の構図や服飾、手の形（印相（いんそう））や持物（じもつ）（持ち物のこと）で確認してみよう。これには、一年次配当科目の美術史概論や二年次配当科目の日本彫刻史で習った仏像の基本的な知識を応用する。仏像は経典の内容に忠実に作られ供養されねばならない。絵の仏様も同じである。経典に書かれた儀礼の細目である儀軌（ぎぎ）の知識は大事である。

この作品の場合、胸前で両手の親指と人差し指を合わせる転法輪印（てんぽうりんいん）の印相で、山の間から現れるように描かれている。したがって、名称は「山越阿弥陀図」で正しいようだ。確認する際には、形状の変更や後補がないかを注意深く観察する必要がある。薬壺が描かれているので薬師如来だと思っていたら、その薬壺は後から描き足されたもので実は阿弥陀如来だったということもある。この作品は立派そうにも見えるが、違和感を覚える部分もある。絵は絹に描かれているが、その絹がとても傷んで切れているのに、その上に金箔が被さっていたりする。どうやら、この作品には後補が多いようだ。両肩にかかった衣には金箔を切って貼った截金（きりかね）（切金とも書く）という技法が使われているが、よく見ると、幾何学的な文様の金箔の下にうっすらと蓮かと見える別の文様が見える（図４）。後補の截金はきらきらして作品を立派そうには見せてくれるが、制作当初の部分とちぐはぐで印象を損なっている。画面下辺の雲の截金も、画絹（がけん）の痛み具合に対して状態が良すぎるので後補だろう。また、「山越阿弥陀図」の有名な作品を検索して画像を比較してみると、阿弥陀如来が画面に対して大きすぎて窮屈に見える。画面比率から考えると下の方がかなり切り詰められているようだ。

図4　「山越阿弥陀図」部分　後補の截金の下に蓮の模様が見える。

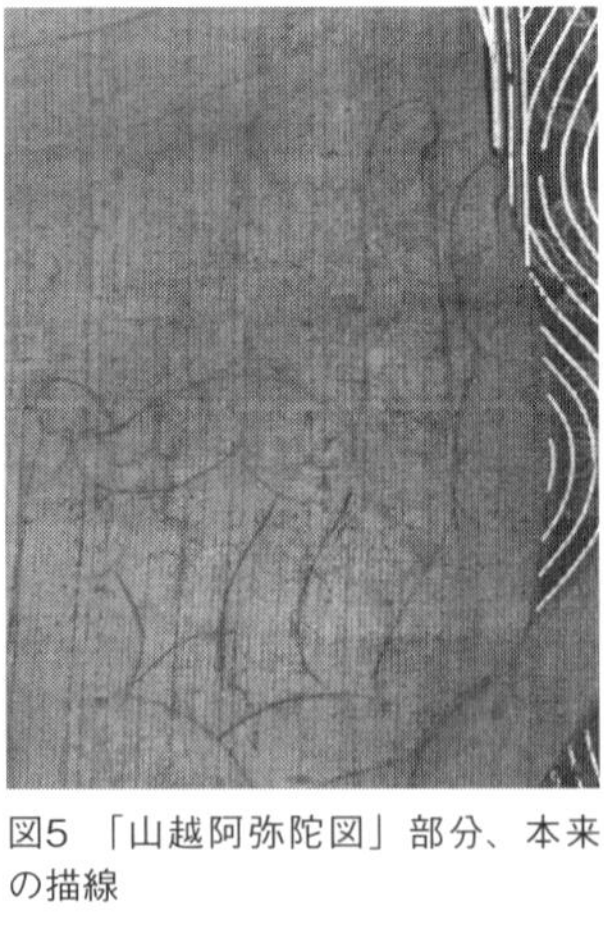

図5　「山越阿弥陀図」部分、本来の描線

しかし当初の部分と思われる如来の指（図５）は細く緊張感のある線描で描かれており、下手ではない。一体誰が描いたのだろう。箱蓋裏紙には「巨勢有久（こせのありひさ）」とあった。『国史大事典』（吉川弘文館）などを見れば、当時の記録・文書によって、鎌倉時代最末期には宮廷絵所預・東寺絵仏師であったことが立証できる絵師である。

残念ながら巨勢有久が制作したことが確実な作品は残っておらず、比較して同じ作者かどうか確認するという美術史学に基本的な作業が行えない。箱裏紙が書かれた時期には何かの証拠が残っていたのかもしれない。あるいは売買の際に、浄土信仰で名高い二上山麓の当麻寺に由緒を持ち、巨勢有久のような立派な絵師が描いたものであるという触れ込みを捏造したのかもしれない。真相は不明である。巨勢有久は伝承筆者にすぎず、後補の多い現状ではとうてい宮廷絵所絵師・東寺絵仏師の作であるようには見えない。ただ、後補でない部分の線描を見れば、相当に高い技量の絵師であることは確かである。少なくとも江戸時代の制作とは思えない。一般的に、仏教絵画（仏画）の技術は室町時代に急速に衰えると考えられている。江戸時代には版画に彩色を施すなどの方法で制作されることもある。ただ、こうした様式や技量に関する判断は、同時代作品との比較の訓練や調査を通じて養われる経験値に依存する部分が大きく、判断が分かれる場合もある。本作については、おおまかに室町時代制作と言えるのみである。

四　屏風の調査

次に二〇二一年の奈良大学博物館春季展示で初公開された八曲一双の屏風を見よう（全図は奈良大学博物館ホームページ館蔵品紹介参照）。縦長の長方形の画面・一扇（いっせん）が八つつなぎ合わされ折りたためるようになっている形式を八曲屏風という。それが二つで一セットになっているものを一双（いっそう）という。片方だけの場合は一隻（いっせき）という。縦七〇・四センチメートル、総横二八六・六センチメートルとかなり小型である。八曲なので画面は左右に長い。紙地で金箔が貼られている上に彩色も施されているので、品質は紙本金地著色（しほんきんじちゃくしょく）（着色と書く場合もある）である。箱は新しく作られたもので、付属文書もなく、伝来、制作者についての手がかりはまったくない。実習で、私たちはメモをとりながらこの作品をじっくり見た（図6）。まず何が描かれているのか確認してゆこう。

一隻には、お寺や神社とお参りする人たちが描かれている。月代をそって髷（まげ）を結っている人物がいるから江戸時代の風俗のようだ。手がかりは、画面に向かって左端に描かれた雨ざらしの、いわゆる露坐（ろざ）の大仏だ（図7）。露坐の大仏といえば、鎌倉高徳院の大仏が思い起こされるが、印相が違う。鎌倉大仏は、定印で深い瞑想に入られた阿弥陀像だが、本作の大仏は右手を挙げて左手は膝の前にある。施無畏与願印（せむいよがんいん）と呼ばれる印相である。それならば東大寺の大仏（盧舎那仏（るしゃなぶつ））だ。大仏の背後の鐘楼の上に描かれているのは二月堂ということになる。

以下は画面の観察と辞典や先行研究からの情報とを組み合わせて記述する。

大仏殿は、治承四年（一一八一）の平重衡による焼き討ちの後復興されたが、永禄一〇年（一五六七）の三好・松永による焼き討ちによって再び全焼し、大仏の頭部も崩れ落ちた。その後の露坐の大仏は、大和文華館蔵「京奈名所図扇面冊子（全六十面）」中の一図やシカゴ・ウェストンコレクション蔵「京・奈良名所図屏風」にも描かれており、江戸時代初期の奈良における一種の「名所」であったようだ。雨に打たれる大仏を拝して公慶上人（一六四八〜一七〇五）が修復と大仏殿再建の誓願を立てられたことはよく知られているが、鋳造による本格的な修理は元禄四年（一六九一）、大仏殿の落慶法要は宝永六年（一七〇九）のことである。よく見れば、大仏頭部は他の部分とは色が異なり、損傷を仮に修理した痛ましい状態が描

図6　美術史実習風景（「厳島図屏風」の調書をとる）

図7 「南都図屏風」部分、第六扇に描かれた露坐の大仏

かれているかと見える。本作には、雨ざらし、しかも本格的な修理以前の木造銅板張り頭部かと思われる状態の大仏が描かれている。つまり、元禄四年以前の姿が描かれているということになる。

中央部分には神社に向かう行列が描かれている。春日若宮おん祭の行列であろう。巫女や馬長児（ばちょうのちご）に、舞楽や相撲、高足（たかあし）などの芸能も描かれている。右側の三扇には興福寺が描かれている。五重塔、南円堂、北円堂に加えて、享保二年（一七一七）の火災で焼失した南大門や中金堂が描かれている（図8）。中金堂は、仮堂を経て平成三〇年（二〇一八）に再建されたが、南大門は現在も基壇が残るのみである。さらに右端の上部には安政六年（一八五九）に焼失した元興寺五重塔も描かれている。寺院は瓦葺きだが、民家の屋根は板で葺いた上に石を置く石置き屋根である。

おん祭りの行列を見物する女性のなかには小袖を頭からかぶる被衣（かずき）姿が見られる。京都では比較的長く残るものの、江戸では万治年間（一六五八〜六〇）ごろ廃れてしまった風俗だ。描かれている風俗や建築の存在した時期、大仏の状況から勘案すれば、この隻は一六六〇年代から一六九一年の間の風俗をあらわしている。制作年代もそのころだろうか。しかし、古い粉本（ふんぽん）や絵手本を用いれば、実際よりも前の時代を描くこともできる。「絵空言（えそらごと）」という言葉があるように、絵はフィクションであるから実際の景色を描く必要もない。したがって景観年代イコール制作年代でないことに充分注意をはらう必要がある。

もう一隻には暗い紺色の海に突き出した社殿や海中の鳥居が描かれている。五重塔や神社、多宝塔など

図8　「南都図屏風」部分、第一・第二扇に描かれた興福寺と元興寺の塔

が描かれているから厳島神社で間違いないだろう。社殿が細長く実際の景観とは随分異なって見える。ただ、サントリー美術館蔵「厳島天橋立図屏風」や一八世紀頃に数多く制作された一枚刷りの「安藝州厳島之図」などの絵図にも、東北から宮島を俯瞰した細長い社殿が描かれる。本作も宮島を描くなんらかの手本に従って描かれたのだろう。

海には十艘の船が描かれているが、管弦祭のような大きな祭礼が行われているわけではなさそうだ。画面の左端には、衣服を脱いで水垢離をとる人びと、海上に突き出た船着き場や参詣人向けの宿屋、休憩所のような施設も描かれている。右端の扇に髪をまとめて頂上に突き出すように結った独特な髪型をした女性が描かれている（図9）。湯女や遊女が結う兵庫髷だ。その脇には三味線を抱えた人物や切下げ髪の少女・禿の姿が描かれている。兵庫髷という結い方は寛永年間（一六二四～四四）頃から数十年の間流行する。一方、被衣姿は見られず、南都隻よりやや新しい風俗が描かれている。

この作品は南都と厳島を主題とする屏風で、一六六〇年代から九〇年頃の時代状況を反映しているということがわかった。作者は誰だろう。どちらの隻においても描かれた人物に立体感はなく、人体としての骨格の存在がまったく感じられない。手足の描き方も雑である。由緒のある絵所（工房）で訓練を受け、御抱絵師や御用絵師のような身分を得て、城郭や寺院の障壁に絵を描くほどの技量やレパートリーを持つ絵師ではない。描いたのは、いわゆる町絵師と呼ばれる無名の絵師だろう。こうした絵師が名所や時代

図９ 「厳島図屏風」部分、第一扇に描かれた遊楽・兵庫髷の遊女と禿

の風俗を主題にして描く屏風作品は江戸時代前期に制作が集中している。

ところで二つの隻の様式はよく似ているように思えるが、筆者は違う。南都を描いた隻には被衣というやや古風な風俗が見られた。また南都隻の人物が厳島隻の人物より若干大きく描かれている。厳島隻の参詣人は二百人を優に超えるが、そのぶん人物は小さく描かれており、人物の着衣はほとんどが無地で、白色、水色、朱色、黒色、代赭色（たいしゃ）（茶色）のうちの一色を塗りつぶすのみである。南都隻は、人物が大きく描かれたぶん、着衣に文様も描かれるなどやや丁寧な作りである。樹木の描き方にも違いが見られる。南都隻のほうは幹の輪郭線を見せずに濃い茶色に塗りつぶす、いわゆるつけ立てという描き方である。一方、厳島隻のほうは肥痩（ひそう）（ふとほそ）のある濃色の輪郭線の内側を淡い代赭で塗っているという違いがある（図10）。樹木のような基本的なモチーフの描き方に違いがある以上、絵師は別人と見られよう。

どうして一つの作品のなかで絵師が違うというようなことがおこるのだろう。当時の絵画制作は工房制作で複数人が関わるのが当然であり、現代のアーティストのように個人の名前で仕事をするのではないから分担制作をしたとも考えられる。あるいは、別のセットだったものを取り合わせて新しいセットを作ったという可能性もある。なぜならば南都と厳島を取り合わせる画題はきわめて珍しい。天橋立と厳島、松島と厳島、和歌浦と厳島のように、海浜の名所をとりあわせた屏風は知られているが、南都と厳島という取り合わせは類例がない。なんらかの事情で残された京奈名所図屏風の片隻と海浜名所屏風の片隻が取り合わされたのだろう。

図10「厳島図屏風」部分、第三扇に描かれた樹木

本作は、新しい組み合わせを創造するほどの才気や技量を持った絵師の作とは思えず、先行作品の構図を模倣しているから、後世の取り合わせの可能性が高いだろう。

　本作は技量の高い絵師の描いたものではないが、多くの寺社や芸能が描かれており情報量が多いことが特長である。こうした作品においては建築の造立あるいは焼失年代や風俗の流行した年代が絵の制作年代の手がかりになる。そのためにはよく見ることのほかに、文献を用いてモチーフの意味や歴史的背景について充分に調べる必要がある。

五　落款印章のある掛幅の調査

　落款は、落成款識の略で、書画が完成したとき、それが自作であることを示すため、作品に姓名あるいは字や雅号、完成年月、揮毫の場所を記したものである。制作動機等を記した識語や詩文などを含むこともある。今まで見てきたように、すべての作品に落款印章があるわけではない。鎌倉時代以前には見られないし、室町時代以降でも仏画や献上する作品の場合には表に記すことをはばかる場合もある。

　この作品（図11）には、画面右上に「頂絲巻秋風／壬申秋晩写于／白酔楼上／圭齋西允　圭　齋」（図12）という落款がある。印章は一文字ずつの朱文方印、つまり印形が方形で文字が陽刻されているものである。落款印章を撮影する際にはのちのち同作者の別の

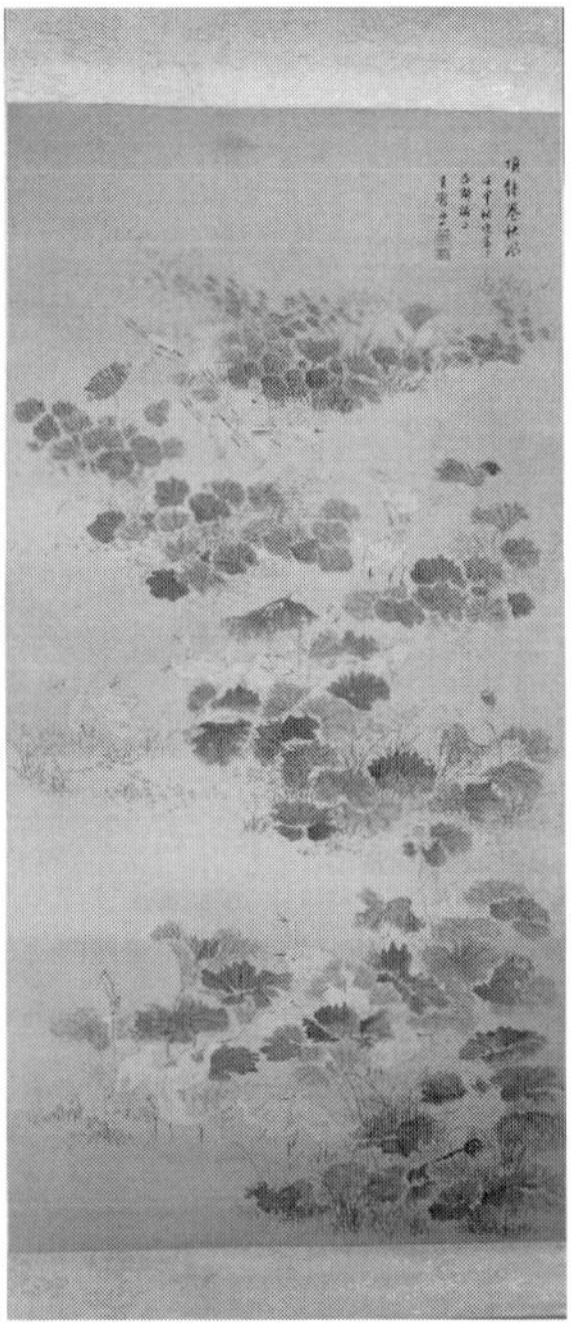

図11　「蓮池群鷺図」全図　絹本墨画１幅　本紙縦82.4cm、横41.4cm

作品と比較するためにも、メジャーを入れて撮影する。箱の蓋は印籠蓋ではなく、引き出しのようにスライドする形式（引蓋）である。後述するが、箱はこの作品のために制作当初誂えられたもともとの箱（共箱という）ではなく、後の時代に合わせられた箱である。蓋表には「大西圭齋蓮池群鷺之図　絹本竪幅」（図13）という箱書があった。箱の蓋裏にも「大正四年乙卯秋晩　老雲居士　印文不明（白文方印）老雲（朱文方印）」という墨書があった。白文の印章は読めないが、朱文の印章は老雲だ。

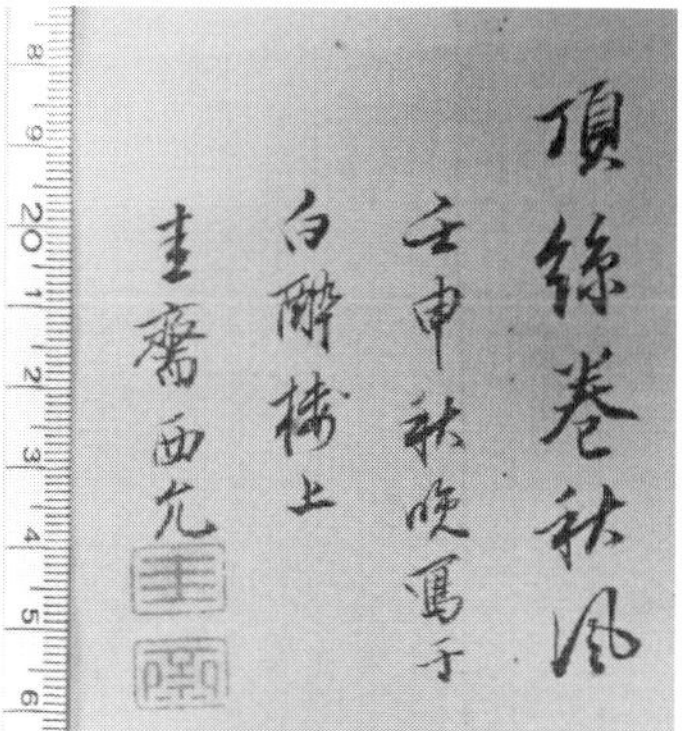

図12「蓮池群鷺図」部分　落款印章

絵師の名前は落款の「圭齋西允」と箱書の「大西圭齋」が手がかりになる。制作年代は干支（えと）の「壬申」が手がかりになる。壬の申年である。六〇年に一度しかめぐってこないのであるから、絵師の生没年がわかれば制作年はわかる。絵師の情報を探すには、今ならインターネットでも検索できるが、昭和初年までの書画家二万人を網羅している荒木矩『大日本書画名家大鑑』（第一書房、初版一九三四年）、『日本人名大辞典』（講談社）などの事典類が役にたつ。それらによれば、江戸時代後期の絵師で、安永二年（一七七三）生まれ。江戸の人で、宋紫山と谷文晁の門に学んだという。花鳥画を得意とし、豊前中津藩（大分県）奥平家に仕え、五七歳で死去している。名は允。字は叔明。別号に幽渓など。「西允」は姓の大

図13「蓮池群鷺図」箱　蓋表

西の一部と名であった。壬申は文化九年（一八一二）ということになる。それでは箱蓋裏にあった「大正四年」「老雲居士」はなんだろう。落款の筆跡と箱書きの筆跡は違う。おそらくこの作品は大正四年に老雲居士によって鑑定され、箱に入れられたということになる。表具はあっさりした文人表具で、作者の経歴や画風とも釣り合っている。絹地に淡い墨で広々とした蓮池と二十数羽の白鷺を的確に描き出す手腕は見事である。漢詩文の造詣が深いこともうかがわせる。今は知る人も少なくなっている絵師だが、文晁に学んだという技術力やインテリジェンスが評価されよう。中津藩の大事な絵師である。

六　結　び

以上、作品を調査する際の留意点を記しつつ、作品の評価を行ってみた。美術史学は、美しい、きれいだという感想を述べるものでもなければ、作者の気持ちが反映しているなどの根拠のない思い込みを述べるものでもない。作品をよく観察し、事実に即して、制作者、制作年代、制作地、制作主体、制作状況を明らかにするものである。悲しいことに、形あるものは必ず滅ぶ。すべてを文化財として永久保存するわけにはゆかない。文化財としての価値を見極め、保存修復の優先順位を決めなければならない場面がある。美しさのほかに、状態の良さ、由緒伝来の確かさなど多面的な評価が必要である。そしてさらに、歴史学の一分野としての美術史学には作品を歴史の連関に位置づけるという大事な役割もある。

〔参考文献・参考ＵＲＬ〕

アラス、ダニエル『なにも見ていない』白水社、二〇〇二年
岩間香「江戸初期の奈良の光景―南都名所図屏風―」『古美術緑青』一八、一九九六年
佐藤道信『明治国家と近代美術』吉川弘文館、一九九九年

原口志津子「美術館と外部評価、指定管理者制度」『とやま経済月報』二〇〇五年二月号 http://buna.html.xdomain.jp/bousai/kaihouB/160127haraguchi.pdf

奈良大学博物館「奈良大学所蔵 絵画優品展―初公開!南都・厳島図屛風―」(開催期間二〇二二年三月十八日(金)～四月二十三日(土)) https://www.nara-u.ac.jp/museum/exhibition/past/2021/series3.html

奈良大学博物館 館蔵品紹介 絵画「南都・厳島図屛風」 https://www.nara-u.ac.jp/museum/collection/paintings.html

三宅良宜「奈良大学所蔵の掛幅について:墨江武禅・大西圭斎・瀧和亭」『奈良大学大学院年報』二七、二〇二二年 http://repo.nara-u.ac.jp/modules/xoonips/detail.php?id=AN10533924-20220200-1105

＊作品はすべて奈良大学博物館所蔵である。

第7章 盗まれる仏像
——その背景と現状

大河内智之（おおこうちともゆき）

一 仏像盗難の歴史と背景

現在、仏像の盗難被害が全国で多発している。仏像が盗まれると聞いて、驚かれる方もあるかもしれない。しかしどんな時代にも、仏像を盗み取り、浅はかな利益を得ようとする不埒な輩が現れる。

薬師寺僧の景戒が平安時代初期に編纂した仏教説話集『日本霊異記』には、聖武天皇のころ、大安寺近隣の葛城尼寺から弥勒菩薩の銅像が盗まれた話がある。盗人が、像を石で打ち割っていたところ、仏像が「痛きかな、痛きかな」と泣き叫んだことで被害が発覚し、盗人は捕らえられたと語られる（中巻第二十三話）。やはり同じころ、和泉国日根（大阪府泉佐野市）の盡恵寺（じんえじ）でも銅製の仏像が盗まれ、盗人が鍛冶道具にて手足や首を切り欠いていたところ、やはり「痛きかな、痛きかな」と仏像が叫んだという類話も見える（中巻第二十二話）。金銅仏が盗まれ、壊される際に声を上げたという説話は一つの定型であったようで、時代が降っても見られる。たとえば兵庫県加古川市の鶴林寺に伝わる白鳳時代の金銅仏である聖観音立像にまつわる話として、盗人がこの像を壊して溶かそうとしたところ、「あいたた」と声をあげたので驚き改心し、以後は「あいたた観音」と呼ばれたと語られる。

これらはあくまで説話や伝承であるものの、いずれも仏像を盗む目的は、溶かして銅や金などを入手しようとしていることが共通し、そこには一定の歴史的事実が含まれているように思われる。古代の金銅仏のなかには火中したものが多くあるが、あるいはそのなかに盗難被害を受けた事例もあるかもしれない。

近代に入ってからも、同様の目的による被害が続く。奈良県における仏像盗難被害の代表例としては、白鳳時代を代表する名品である新薬師寺の銅造薬師如来立像（通称、香薬師）がある。同像は明治二三年（一八九〇）、同四四年（一九一一）、昭和一八年（一九四三）の三度、盗難被害を受けており、明治二三年には盗難後に右手を切り放されて投棄されたところを発見され、明治四四年には両足を足首で切断されたのち大阪府下で投棄されているところを確保されている。当時新薬師寺では同像を「黄金仏」と称していたといい、盗まれたのちに部材を切り取ってみたものの金ではなかったため放棄されたようである。昭和一八年の被害後はいまだに行方を摑めていない。ただ、最初の被害の際に折り取られた右手先のみは、近年になってその所在がつきとめられ新薬師寺に納められている（貴田 二〇一六）。

東大寺法華堂の不空羂索観音立像の銀製宝冠化仏は、昭和一二年（一九三七）に盗まれ、香薬師像が三度目の被害にあったのと同じ昭和一八年に取り戻されている。こちらは、美術品・宝飾品としての価値に着目して窃盗に及んだもので、最終的には著名なコレクターである田万清臣氏の元に持ち込まれて行方が判明した（小川 一九四八）。明治時代以降、仏像に対しては信仰の眼差しとともに、美術の眼差しが新たに向けられるようになり、結果的に後者は市場における金銭的価値とも結びつくがゆえに、古美術品としての仏像盗難が発生するようになっている。

近年の重要文化財の仏像盗難被害事例に限っても、和歌山県歓喜寺阿弥陀如来坐像（平成一二年）、福岡県油山観音聖観音菩薩坐像（平成二一年）、大阪府今養寺大日如来坐像（平成二一年）、高知県恵日寺大日如

来坐像（平成二四年）があり（すべて発見され取り戻し済み）、枚挙にいとまがない。

しかし、いま各地で発生している仏像の盗難被害の対象は、こうした著名な作例や指定文化財ではない。地域の人びとが守り伝え、心の拠り所として維持してきた身近な寺や小堂にまつられる仏像なのである。時代も材質もさまざまで、未調査で文化財的価値を見出されないまま、写真の一枚もないような事例も多数含まれる。

二　盗まれる「村の仏像」

なぜそうした仏像が盗まれるのだろうか。要因は二つある。まず、窃盗犯の目的は換金である。盗まれた仏像はさまざまな経路から古物市場に供給され、商品として多くは国内で流通している。この二〇年ほどの間にインターネット上で商品を売買するオークションサイトが発達し、古美術品を購入する手段が平易化して誰でも気軽に入手できるようになっており、需要の層が拡大している。そうした環境と連動して、短絡的な換金目的の犯行に及ぶ窃盗犯が出現しているのである。なお仏像盗難が外国人による犯罪だという誤った認識を持つ方があるが、偏見であって実態に即したものではないことを特記しておく。

そして仏像盗難被害拡大のもう一つの大きな要因は、地域住民の高齢化と人口減少という現代社会が抱える構造的な問題である。地域住民により維持されてきた無住寺院やお堂が、コミュニティの縮小により管理の担い手が不足して、犯罪の抑止力が大きく低下してしまっているのである。そうした隙を突いて卑劣な犯罪者が跋扈（ばっこ）しており、盗む側と盗まれる側の状況が不幸な一致をしてしまっているのが現状である。今後状況はさらに深刻化するものと想定される。

和歌山県の事例では、平成二二年（二〇一〇）から翌年にかけての一年間に、連続六〇件、仏像一七〇体以上が被害を受ける空前の盗難事件が発生した。さらに平成二九年から翌年にかけても一〇か所の寺院で六〇体以上の仏像が盗まれている。たとえば紀の川市・西山観音堂に伝来した平安時代後期の優美な作風を示す十一面観音立像は像高一八〇センチメートルを超える大きさであったが被害に遭ってしまった。被害後の堂内は惨憺たるありさまで（図1）、仏像の窃盗という卑劣な犯罪が、信仰の尊厳の無視と歴史への敬意の欠如の上で行われていることがわかる（被害の詳細については大河内 二〇一九参照）。

仏像は信仰の核となる象徴的な存在である。たとえば災害時であっても救出され、また損傷すれば修理が施されるなどして長く維持される。仏像を調査すると、二度三度と修理された痕跡を確認できることがあるが、造像された際の歴史とともに、人びとが大切に伝えてきたようすをたどることで、地域の歴史の一断面を仏像は物語ってくれると言える（大河内 二〇一三）。

図1 盗難被害を受けた西山観音堂の堂内

それゆえに、仏像が伝わってきた場所から奪われてしまうことは、その地域と、そこで暮らす人びとの歴史をも奪い去られてしまうことと同じと言えよう。被害に遭うことで、仏像そのものを失う物的被害に留まらず、地域住民の尊厳が損なわれ、大きな精神的ダメージを負うこととなる。物的、精神的な二重の被害にあわないためにも、何より盗まれないための対策をただちに講じていかねばならない。

被害事例のなかには、盗まれた文化財の写真一枚もなく、何が盗られたのか正確にわからないというケースも多くある。まずは最も身近にいる地域住民の手で、簡単なものでよいので写真を撮っておくだけでも、万が一被害に遭ったときにきわめて重要な手がかりとなる。そうして堂内に何があるのかを把握した上で、厳重な施錠を行うことが防犯対策の第一歩である。

さらに防犯ライトやベル、防犯カメラなどを設置して、犯行の抑止に努めることが推奨されるが、建物に電源がないケースもあり、費用の工面も容易ではない。そもそもそうした対応に苦慮している原因が、集落の過疎化や高齢化にあり、地域の人びとの力だけで守り続けることに限界が生じているところに、大きな課題があると言える。

三　「お身代わり仏像」による防犯対策

こうした状況下における特徴的な防犯の取り組みとして、平成二〇年（二〇〇八）以降の累計で約三〇〇体の仏像盗難被害が発生している和歌山県では、３Ｄプリンターを活用した「お身代わり仏像」の制作を行っている。これは３Ｄプリンターによって精巧な文化財の複製を製作し、防犯環境を整えることが難しくなっている地域の寺社に安置して、実物は博物館等で保管し、盗難被害を防止するもので、継承されてきた信仰の環境を維持しながら防犯対策を行うものである。和歌山県立博物館と県立和歌山工業高等学校ほかが連携し、平成二四年度から現在までに一七か所の寺社に三二体を安置するにまで至っている。制作の工程は、高校生が３Ｄスキャナーを用いて仏像のデータ計測を行い、ＣＡＤソフトを用いて細部を修正したデータを元に３Ｄプリンターで出力したものに、和歌山大学教育学部の学生や、県立高校美術部の生徒が着色を行って完成させるというものである。

信仰の対象が複製でいいのかと思われる方があるかもしれない。しかし提供した地域住民からは「これで夜も安心して寝られる」といった感想をいただくなど好意的で、「お身代わり」という呼び方も地域住民の言葉から生まれたものであり、それだけ当事者にとって深刻な問題であることがわかる。製作に携わった高校生や大学生が現地を訪れてお身代わり仏像を奉納し、地域住民とコミュニケーションを図ることも、受け入れの上での心理的なハードルを下げる要素となっている（大河内 二〇一九）。

実際にお身代わり像を安置した、和歌山県伊都郡高野町大滝の丹生神社の事例を紹介したい。大滝地区は高野山の奥、奈良県山辺郡の野迫川村役場にほど近い県境に位置する、過疎と高齢化が進む山間の集落である。令和元年に、地区の産土社である大滝丹生神社の文化財調査を初めて行ったところ、社殿に丹生明神坐像と高野明神坐像が安置されていることがわかった。それぞれ像高二一センチメートルほどの小像であるが、下膨れで年若く見える風貌には生彩があり、着衣の彫り口は深く立体感があって、作風から南北朝時代、一四世紀ごろの造像と判断される。

大滝地区は、かつての高野山領花園荘の一角にあたり、鎌倉時代前期から南北朝時代にかけて、長らく高野山と吉野金峯山との間で領域をめぐる係争が続いたところである。金峯山側はここを吉野領十津川のうちと主張し、高野山側は縁起に基づき丹生明神から空海へと譲られた神領と主張して、繰り返し騒動がおこっている。洗練された出来映えの神像が造られたその背景には、金峯山との係争ののち、大滝村の支配を確かなものとした高野山が、当地に丹生明神を祭祀して縁起に示される聖域の事実化を図ったという状況が見えてくる。今日まで伝えられてきた神像は、まぎれもなく地域がたどった歴史を如実に物語ってくれる大切な文化財であることが理解される。

深い山間部にあって東西四キロメートルに広がる大滝地区の住民は七世帯一一名。神社の日常的な管理や、効果的な防犯設備の設置など対策も難しいことから、住民の意思により神像の発見後ただちに県立博物館へ寄託することを決断された。その一方で信仰の象徴たる神像の不在という状況は住民の心理的な喪失感に結びつくもので、信仰環境の維持のためにお身代わり像の制作を開始した。

コロナ禍による高校生・大学生の活動制限もあって進捗が遅れたが、二年かけてお身代わり像を完成させ（図２）、令和四年三月に、生徒・学生とともに現地を訪れ、地区住民や地区出身者、行政関係者などが集まるなか、神事を執り行って社殿に安置した（奉納のようすはユーチューブで公開中。南山大学ティム・グラフ撮影・制作「仏像・神像盗難と防止」https://www.youtube.com/watch?v=Y8WO_EwxjD8）。

四　みんなで守る文化財

この取り組みの大切な点は、３Ｄプリンターという最新技術の活用そのものではなく、地域社会が抱える課題に生徒・学生やさまざまな人びとが関わって解決を図るその構造にある。平成三一年四月施行の改正文化財保護法では「過疎化・少子高齢化などを背景に、文化財の滅失や散逸等の防止が緊急の課題であり、未指定を含めた文化財をまちづくりに活かしつつ、地域社会総がかりで、その継承に取組んでいくことが必要」（改正趣旨）として、未指定文化財の把握や継承の必要性が示され、各自治体は同法に基づき文化財保存活用地域計画を制定し、積極的な文化財の把握とともに保存活用を推進していくことが求められている。

図２　大滝丹生神社の神像（左２体が実物、右２体が複製）

地域の象徴でありその歴史を証明する文化財は、大切な公共の財産であり、人類の遺産と言えるものである。所蔵者のみならず、行政のサポートや、市民相互のサポートも含め、あらゆる人びとが「みんな＝公共」で支え合いながら守る必要がある（大河内 二〇二一）。文化財を守り伝える人びとに敬意を表するそのことさえもサポートの一つのかたちであり、クラウドファンディングによる支援もまた同様である。誰もが当事者として、いかにして身近な文化財の維持継承に関わることができるのか、そのさまざまな方法を作り出していくことも、これからの文化財保護のあり方と言えるだろう。

〔参考文献〕

大河内智之「仏像の移動とその実態―彫刻資料から地域史を読み解くために―」『和歌山県立博物館研究紀要』一九、二〇一三年
大河内智之「博物館機能を活用した仏像盗難被害防止対策について―展覧会開催と「お身代わり仏像」による地域文化の保全活動―」『和歌山県立博物館研究紀要』二五、二〇一九年
大河内智之「博物館がつなぎ公共で支える地域資料―仏像盗難をめぐる問題を通じて―」小川義和・五月女賢司編『発信する博物館―持続可能な社会に向けて―』ジダイ社、二〇二一年
小川晴暘「宝冠銀仏の再現」近畿日本鉄道編纂室編『東大寺法華堂の研究』大八洲出版、一九四八年
貴田正子『香薬師像の右手―失われたみほとけの行方―』講談社、二〇一六年

第8章 文献史料から文化財の素性を解き明かす

——国宝金銅灌頂幡の奉納者

吉川(よしかわ)　敏子(とし こ)

一　はじめに

東京国立博物館の法隆寺宝物館には、明治一一年（一八七八）に法隆寺から皇室に献納され、戦後に国有となった宝物が収蔵・展示されている。なかには国宝指定されている文化財もあり、その一つに金銅灌頂幡(こんどうかんじょうばん)がある（図1）。金銅とは銅に金鍍金(きんめっき)した金属製品、灌頂幡とは天蓋(てんがい)の下に幡を垂らす形状の仏教荘厳具で、天平一九年（七四七）の『法隆寺伽藍縁起并流記資財帳(ほうりゅうじがらんえんぎならびにるきしざいちょう)』に「金涅銅灌頂一具」と記されているものにあたるとされる。この金銅灌頂幡は水平な方形の天蓋の下に、透かし彫りが施された大小の幡や垂飾が取り付けられ、全長約五一〇センチメートルの大きさを持つ。最下段の大幡下端には挟み込まれた色々の繊維がわずかに遺り、もとは絹の幡足が取り付けられ、さらに長大でカラフルであったことが指摘されている。最上の大幡には如来三尊像、他の大小幡にはそれを讃える菩薩や飛天の姿を配し、全体で西方浄土の情景を表現しており、製作年代は七世紀と推定されている。灌頂幡の作品例では飛鳥時代から奈良時代にかけてのものが遺されているが、現存する灌頂幡がいずれも平面的な布製であるなか、この金銅灌頂幡は特異な存在である。一五〇〇年以上の時を経た今では、部品を分けて保管・展示され、ガラス

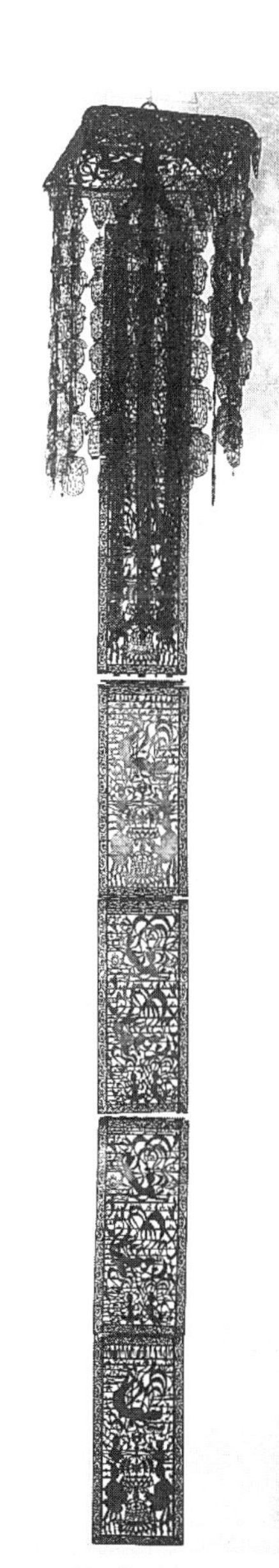
図1　金銅灌頂幡
（出典：ColBase（https://colbase.nich.go.jp/collection_items/tnm/N-58?locale=ja）に加工）

ケースの中でくすんだ鈍い輝きを放っているが、同宝物館には複製品が展示され、在りし日の輝きを再現している。

文化財として遺る現物の造形については美術史学分野の詳細な調査と研究の蓄積があり、素材の分析や将来への保存については保存科学の領域であるが、それとは別に、かつて私は史料学の立場から、この宝物の奉納者について考証したことがある（「片岡王寺創建者についての考察」『文化財学報』三四、二〇一六年）。本稿の目的は、文化財学のなかにおける史料学の役割を読者諸氏に考えていただくことであるため、史料の出典や細かな論証を一部省略しつつ、その概略を叙述する。

二　金銅灌頂幡奉納者の謎

この豪華絢爛な金銅灌頂幡を製作させ、法隆寺に奉納したのはどんな人物なのであろうか。『法隆寺伽藍縁起并流記資財帳』（以下、『法隆寺資財帳』と略記）には「金埿銅灌頂一具　右片岡御祖命（かたおかのみおやのみこと）納賜　不知納時」と記されている。『法隆寺資財帳』が作成された段階で、すでに「納むる時を知らず」となっているが、献納者が片岡御祖命であったことはわかる。しかし、これで答が見つかったのかといえば、そう簡単ではない。この片岡御祖命という名は『日本書紀』などに見えず、どのような人物であるのかは永く謎に包まれていたのである。

片岡御祖命について、美術史学分野の三田覚之は、先行する学説を①史料に遺らない片岡氏という氏族の人物、②片岡の地にゆかりの人物、③聖徳太子の娘の片岡女王の三つに分類し、『法隆寺資財帳』で天皇・皇后による施入に用いられた「納め賜ふ」の語が使われていることから、法隆寺に関係する高貴な人物として③の片岡女王説を支持している。『上宮聖徳法王帝説』などの諸史料では、上宮王家（聖徳太子の一族）は皇極二年（六四三）に蘇我入鹿らに襲撃され滅亡したとされるが、片岡女王は生き残っていたとの解釈である。二〇二一年東京国立博物館・奈良国立博物館開催「聖徳太子一四〇〇年遠忌記念特別展 聖徳太子と法隆寺」の展示図録でも、三田は③に基づき金銅灌頂幡を解説している。私は三田が「納賜」の表記から、これを高貴な人物とした判断を妥当と考えるが、さりとて③を支持するものではない。

この美術史学の諸氏の三区分とは別に、史料学分野の平林章仁は、正安四年（一三〇二）に著された『放光寺古今縁起』に、同寺の創建者として記される、敏達（びだつ）天皇の娘の片岡姫王が片岡御祖命に該当する可能性を示した。ただし、この片岡姫王の名も他の文献には見えず、平林はこれを片岡王寺と敏達天皇後裔王族との関係を主張するための架空の人物かとして、片岡御祖命の人物比定を棚上げにした。結論から言えば、私はこの敏達天皇の娘の片岡姫王が片岡御祖命であり、かつそれは実在する人物と考えている。

三　ミオヤノミコトの尊称

金銅灌頂幡奉納者とされる高貴な片岡御祖命の候補は、聖徳太子の娘の片岡女王と敏達天皇の娘の片岡姫王の二人に絞られた。「女王」と「姫王」は王族女性を呼ぶ「ヒメミコ」の表記に異なる漢字を用いたにすぎず、ここから二人を比較することはできない。そこで注目したのは、片岡御祖命の「ミオヤノミコト」の称号である。同時代におけるその類例を求めると、『日本書紀』に次の三人の「ミオヤノミコト」を検出できる。嶋皇祖母命（糠手姫皇女。舒明天皇の母）、吉備嶋皇祖母命（吉備姫王。皇極天皇の母）、皇祖母尊（皇極天皇。天智・天武天皇の母）で、その共通点は天皇の生母であったことである。いずれも「スメ」を冠しているが、天皇号成立時期の問題はさておくとして、木簡などの一次史料で天皇の近親に皇子など「皇」の字を用いる事例が見られるようになるのは天武朝以降である。このことから、「スメ」は『日本書紀』編纂者の後補で、「ミオヤノミコト」が本来の称号と考えてよいだろう。

七世紀の人物に用いられた「ミオヤノミコト」は、天皇の生母に用いられる尊称であった。『法隆寺資財帳』は僧綱（全国の僧尼を監督する令制の僧官）に提出を命じられて作成された公式な文書であるから、そこで寺ゆかりの有力者に対するローカルで不相応な尊称が使用されることは考えにくい。しかも、三田が指摘したように、『法隆寺資財帳』の「納賜」という表記は天皇・皇后による施入に用いる最上級の敬語であるから、片岡御祖命が天皇の生母であってこそ、その言葉はふさわしい。

四　片岡御祖命の特定

七世紀に三人の「ミオヤノミコト」がいたことを指摘したが、皇極天皇ならば「天皇」と書かれるはずであるから、片岡御祖命の候補は残る二人となる。その検討にあたっては、『放光寺古今縁起』の片岡姫王の伝承が示唆を与えてくれる。同縁起による放光寺創建の伝承は次のようなものである（原漢文）。

一　片岡放光寺伽藍一区

寺の生起を銘すに（中略）、太玉敷皇、多くの御子を生む（中略）、第三の姫宮、葛木下郡片岡中山に地を択び宮を造り、片岡宮と名づけ、片岡姫と号す。（中略）遂に片岡宮を点じ改めしめ、肇めて仁祠の地を定め、因りて片岡寺と名づく（中略）。
敏達天皇勅願、片岡姫王建立、用明天皇御願、推古天皇叡願、上宮上皇恢弘、舒明天皇紹隆、孝徳天皇興隆、聖武天皇潤色、累代の明皇洪続たり。名詮連綿たりて、皇寺と名づくるを得たり（後略）。

ここでは、太玉敷皇（敏達天皇）の三女が葛木下郡片岡中山に片岡宮を営んで片岡姫と呼ばれており、やがてその宮を改めて仁祠（寺院）とし片岡寺と名付けたことと、勅願者である敏達天皇以下、累代の天皇が外護したため「皇寺」の名を得たことが説明されている。しかし、他史料には敏達天皇に片岡という名の皇女は見られない。しかも、敏達天皇は『日本書紀』に「仏法を信ぜず」と記され、片岡王寺（放光寺）創建を発願するとは考えにくい。『放光寺古今縁起』は支離滅裂な伝承を含み、丹念な史料批判が必要な文献であるが、ひとまず天皇の母の片岡御祖命と、敏達天皇の娘と伝えられる片岡姫王の特徴を考え合わせると、条件にかなう人物として糠手姫皇女の姿が浮かび上がってくる。

糠手姫皇女の名を知っている人はかなりの古代史通で、初めて目にする人も多いと思うので、簡単に紹介しておこう。彼女は敏達天皇と、伊勢大鹿首小熊の娘で采女の菟名子夫人との間に生まれ、異母兄の押坂彦人大兄皇子と結婚して舒明天皇・中津王・太良王を生んだ。夫の押坂彦人大兄皇子は敏達天皇と最初の后である広姫との間に生まれた優位の皇子であったが、早くに亡くなったらしい（図2参照）。長子の舒明天皇が推古元年（五九三）の生まれと伝えられ、六二九年に即位しているから、天智三年（六六四）に亡くなった糠手姫皇女は九〇歳ほどの長寿を保ったことになる。幼くして父を喪い、かつ有力な外戚を持たず、不運な無名の王族として歴史の奥底に埋没してもおかしくなかった舒明天皇の即位は、自らが敏達天皇の一世王である母の後見無くしてはあり得なかっただろう。

『放光寺古今縁起』に史実を見出し、糠手姫皇女を放光寺の創建者とする仮説には傍証がある。それは、寺領を列記する「勅施入領地」の箇所で、備中国蚊陽郡の一二〇町（約一二〇ヘクタール）もの寺領を記載していることである。当該箇所にも、かつて法隆寺から「片岡僧寺」（弘道寺）へ分与された播磨の土地（『法隆寺資財帳』）を、片岡王寺（放光寺）への分与にすり替えて記すような胡散臭さはある。しかし、蚊陽郡に広大な寺領を有したとする点は重要である。

舒明天皇は吉備国の蚊屋采女との間に蚊屋皇子をもうけており、一〇世紀の書物ながら『和名類聚抄』には賀夜郡刑部郷の存在が記される。薗田香融が指摘したように、刑部（押坂部）は押坂彦人大兄皇子から舒明天皇に伝領された膨大な子代（王族の領有民）で、同郡刑部郷の名称もそれにちなむ可能性が高い。王宮に出仕していた蚊屋采女は、蚊陽の地で刑部を監督していた在地豪族の娘であろう。大化二年（六四六）の改新詔の冒頭で宣べられているように、子代は大化改新で改革のメスを入れられ、七世紀中に解体された古い制度であり、中世になって子代に由来する寺領が捏造されることはまずない。蚊陽郡の寺領は古くに遡るもので、放光寺と押坂彦人大兄皇子系の皇室との深い関係を示していると言えよう。そして、押坂彦人大兄皇子の薨去から舒明天皇の成人までの間、刑部を含む莫大な遺産を管理した人物は、後

息長真手王―広姫
伊勢大鹿首小熊―菟名子
敏達天皇
押坂彦人大兄皇子
糠手姫皇女
大俣王
茅渟王
吉備姫王
舒明天皇
皇極天皇
孝徳天皇
天智天皇
天武天皇
蚊屋采女
蚊屋皇子

図2　系図（『日本書紀』の表記によるが大俣王のみ『古事記』による）

家であり生母である糠手姫皇女以外に考えられない。彼女が夫の菩提を弔うために寺院を創建し、遺産の一部を施入したとすれば辻褄も合う。放光寺を創建した片岡姫王は実在する糠手姫皇女であり、法隆寺に金堂灌頂幡を献納した片岡御祖命もその人であったと考えてよいだろう。

五　片岡の地と糠手姫皇女

糠手姫皇女が宮を営み拠点としていた片岡について見ていこう。片岡は後の律令行政区画では大和国葛下（葛城下）郡に属す。現在の奈良県北葛城郡王寺町東部、大和川の南側にあたり、そもそも王寺町の町名は片岡王寺（放光寺）にちなんでいる。法隆寺が所在する斑鳩とは大和川を隔てた近距離の地で、聖徳太子の片岡飢人伝承に象徴されるように、片岡の地は上宮王家とも関係が深かったらしい。放光寺の遺跡は、王寺町本町にある現在の放光寺境内のすぐ東、旧王寺町立王寺小学校の地で、明治二〇年頃まで南向きの四天王寺式伽藍配置の土壇が遺っていた。そこで出土する草創期の素弁の軒丸瓦は七世紀前半に遡るとされ、わずかながら当該期の遺構も検出されており、糠手姫皇女創建説と遺跡の年代に齟齬はない。放光寺跡の南約二キロメートルに位置する香芝市尼寺の尼寺廃寺は、七世紀創建の北廃寺と南廃寺が南北に隣接する寺院跡であるが、吉川真司により北廃寺が片岡僧寺（弘道寺）、南廃寺が片岡尼寺（般若寺）の遺址であることが論証されており、片岡は少なくとも放光寺跡と尼寺廃寺とを含む一帯の地名であった（図3参照）。

押坂彦人大兄皇子の水派宮は広瀬郡城戸に所在し、城戸郷は大和川と富雄川の合流地点南側に推定されており、そこは放光寺から東へ三～四キロメートルほどの地である。また、『延喜式』（一〇世紀の法制史料）の諸陵寮式では広瀬郡成相墓を押坂彦人大兄皇子の墓とするが、若くして亡くなる彼が寿陵（生前墓）

を造営していたとは思えない。糠手姫皇女が亡夫の墓を広瀬に営み、かつ片岡にある自身の宮を夫の菩提を弔う放光寺に改めるなどしながら、大和川南岸にある自身と夫の拠点地域の維持に努めたと考えたい。

　舒明天皇の子孫にあたる歴代の天皇は、糠手姫皇女の子孫でもあり、彼らが舒明天皇系の皇統樹立を支えた糠手姫皇女の功績を十分に認識していたことは、放光寺の遺跡が示している。放光寺跡の発掘調査では、奈良時代中頃に大規模な整地と

図3　法隆寺、放光寺、尼寺廃寺跡と城戸の位置
(国土地理院5万分の1地形図 平成21年修正「桜井」「大阪東南部」に加筆)

寺域拡充が行われたことが確認されている。その遺構や地形から推定されているのは南北約三六〇メートル、東西約二〇〇メートルの広大な境内であり、整備に用いられた平城宮第一次大極殿所用と同笵の鬼瓦が出土している。これらの遺跡や出土遺物は、奈良時代にも放光寺が糠手姫皇女創建の寺として皇室から重視され、支援されていたことを証言しているのである。

六　金銅灌頂幡は何を語るか

史料学の見地から、金銅灌頂幡の献納者が糠手姫皇女であり、彼女は舒明天皇系皇統樹立のキーパーソンであったことを述べてきた。本研究は造形や技法、材質の組成など、作品そのものの分析をするものではない。しかし、その献納者が誰で、どのような人物であったかを解明することは、金銅灌頂幡が持つ歴史的意義を考えるために重要である。

よく知られているように、舒明天皇は聖徳太子の子の山背大兄王に競り勝って即位していることから、故押坂彦人大兄皇子家と上宮王家とはライバル関係と目されることがある。しかし、それは政治の一局面のことであって、彼らの関係のすべてを対立的と決めつけるのは早計である。糠手姫皇女による金銅灌頂幡の献納は、彼女と、片岡の地にゆかりを持ち仏法に精通した聖徳太子との早くからの交流を示唆しており、故押坂彦人大兄皇子家と上宮王家とに仏教を介した交流があったとの想定を可能たらしめる。『大安寺伽藍縁起并流記資財帳』には、田村皇子（舒明天皇）が聖徳太子から熊凝（くまごり）精舎（しょうじゃ）の委任を受け、それが後の壮大な百済大寺（大官大寺の前身寺院。吉備池廃寺に比定）の建立につながったとする伝承が見られる。聖徳太子から舒明天皇へという物語は取って付けたように見え、史実として疑われることがあるが、太子生前における糠手姫皇女との交流を想定すれば、また違った解釈も可能となろう。

法隆寺への金銅灌頂幡献納の時期は不明であるが、檀越（だんおつ）を差し置いた派手な奉納は想像しにくく、やはり上宮王家滅亡後と考えたい。糠手姫皇女の心中にあったのが上宮王家への鎮魂の念いであったのか、はたまた異なる思いであったのか、それを語る史料はない。ただ、舒明天皇系の皇統樹立を支えた老貴婦人が献納した豪華絢爛な金銅灌頂幡は、法隆寺と皇室との縁を象徴する重要な宝物として、燦然と光を放っていたことであろう。

〔引用・参考文献〕

薗田香融「皇祖大兄御名入部について─大化前代における皇室私有民の存在形態─」『日本古代財政史の研究』塙書房、一九八一年。初発表一九六八年
平林章仁「聖徳太子と敏達天皇後裔氏族─片岡王寺創建をめぐって─」横田健一先生古稀記念会編『日本書紀研究』一六、塙書房、一九八七年
三田覚之「法隆寺献納宝物　金銅灌頂幡の再検討─造立典拠を中心として─」『MUSEUM』六二五、二〇一〇年
吉川真司「片岡四寺考証─片岡王寺・西安寺　尼寺南北廃寺─」菱田哲郎編『京都府立大学文化遺産叢書　第二五集　聖地霊場の成立についての分野横断的研究』二〇二二年
王寺町史編集委員会編『王寺町史』一九六九年
王寺町史編集委員会編『新訂王寺町史　本文編』『同　資料編』二〇〇〇年
奈良県立橿原考古学研究所『片岡王寺跡・達磨寺旧境内　奈良県文化財調査報告書　一五九集』二〇一三年

＊『放光寺古今縁起』を収録した書籍は複数あるが、『新訂王寺町史　資料編』が手に取りやすいだろう。

第9章
文化財防災を大学で学ぶこと

岡田（おかだ） 健（けん）

一 はじめに

私は、二〇一一年の東日本大震災からの一〇年間、独立行政法人国立文化財機構の一員として文化財防災の仕事に専念し、各地で行われた被災文化財救出活動の現場に立った。いま、大学という教育の場に移り、災害から文化財を守ることの理念と方法を、学生諸君に伝える機会を得た。何人もの学生が、文化財防災の勉強をしたいと相談にやってくる。文化財防災は、技術や体制の問題を考えればわかる、というものではない。ここで、その話を書こうと思う。

二 文化財防災の考え方

(1) 災害と文化財レスキュー

頻発する災害と支援活動の定着 二〇一一年三月一一日に発生した東北地方太平洋沖地震は、地震とともに東北地方から関東地方にいたる広い範囲を襲った巨大津波による地域社会の破壊、さらには福島第一原子力発電所の爆発事故とそれに伴う周辺地域住民の強制避難など、甚大で複雑な被害をもたらした。このとき、数多くの人びとによる被災者に対する支援活動が、多方面で組織的に行われた。我が国では度重なる自然災害の経験と社会的活動への人びとの関心の高まりによって、このような災害後の支援活動が急速に定着してきた。洪水に遭った住宅地に大勢のボランティアが集まり、破壊され汚染された家財道具を運び出し、泥を掻き出すという光景がよく見られる。

文化財レスキュー　もちろん、文化財の救出については、文化財に関する正しい認識（文化財としての価値だけではなく、所有者の責任、文化財行政との関係などについて）の有無、脆弱な文化財をそれ以上毀損しないための慎重な取り扱いの必要により、専門性を持った組織や文化財修復技術者の活動が中心になる。

このような専門性を持った人びとの活動は古くから行われてきたものだが、特に一九九五年の阪神淡路大震災に際しては、神戸市立博物館をはじめとする文化財施設、社寺や個人住宅などの被害に対して、早くから関係団体が支援活動を開始した。支援という点では、これもボランティア活動であった。しかし、当時これに文化庁が応じる形で「被災文化財等救援委員会」が組織され、三か月間にわたる活動が展開された。このときの救援活動を「文化財レスキュー」と呼んだ。以後、被災文化財の救出活動は、委員会の設置の有無を問わず、広く「文化財レスキュー」と呼ばれるようになった。

（2）全国的な文化財防災体制の構築

日常的な連携体制　文化庁の呼びかけによる文化財レスキューは、二〇一一年の東日本大震災においても救援委員会を組織して実施された。多くの関係団体がすぐさま支援のための準備を始め、文化庁もまた初期の段階から、被災県とこれらの団体による連携による救出活動の実施を念頭に置いた体制作りを検討して、救援委員会の設置を実現させた。この救援委員会の活動は二年に及んで成果をあげたが、予測される大型地震をはじめとする自然災害に備えるため、この体制を毎回災害が発生してから臨時に立ち上げるのではなく、日常的に維持していこう、という声が上がった。

これを受けて、文化庁と救援委員会事務局を担当した独立行政法人国立文化財機構が連携し、二〇一四年度から、より広範で強固な文化財防災のためのネットワーク構築を目指し、文化財防災ネットワーク推進事業を実施してきた。そして二〇二〇年一〇月には、国立文化財機構に、ネットワークの中核となるための組織として文化財防災センターが設置された。

文化財防災センターの役割　文化財防災センターの本部は奈良文化財研究所に置かれ、国立文化財機構が一丸となって文化財防災に取り組んでいる。都道府県を単位とした地域内・地域間の文化財防災体制の構築を促進するとともに、関係団体に呼びかけて構成した文化遺産防災ネットワーク推進会議（二〇二二年現在二六団体が参加）との連携を強化している。各種の災害や被災文化財の種類に応じて、どのような救出・応急処置を行うことが有効かを考え、必要なガイドラインの策定も行っている。災害発生時には、文化庁との密接な連携のもと迅速かつ効果的な活動を展開できるよう、さまざまな試みを展開している。

（3）災害があっても文化財の被害を出さないために——リスク管理の考え方

災害はどうしても発生する。最も理想とすべきは、災害が発生しても文化財に被害を出さないことだ。つまり「事前の備え」を実現することである。もしも文化財に被害が出れば、できるだけ速やかに行動を起こし、被害をできるだけ軽くすることを目指す。広い地域で、多種類の文化財に被害が及んだときには、地域内の連携、地域間の連携、組織間の連携を効果的に活用し、救援活動を推進しなければならない。これらを実現するためには、リスク管理の考え方を文化財の分野にも導入し、あらゆる条件に対応するための方法を徹底して検討することが重要だ。

多くの文化財は、その材質や構造が脆弱で、特に水の被害を受けると、欠損や変形のみならずカビの発生による深刻なダメージを受ける。被災の内容や量によっては、救出後の応急処置や本格修理によっても完全に元の状態に戻すことが難しい、という場合が多い。だからこそ、被害を出さないためにはどうするか。「文化財防災」の視点は、まずそこに置かなければならない。

ところで、リスク管理は、ただ「危険だ」と言うだけのことではない。たとえば、奈良は歴史的には建設と破壊が繰り返されてきた。そこには戦乱や遷都、あるいは廃仏毀釈などの人為的な破壊もあったが、それでもなお、多くの文化財が残っている。なぜ古代の古墳や寺院の建物は現代までその位置に残っているのだろうか。そこには、文化財が作られるべくして作られ残るべくして残った地理環境や自然環境としての理由がある。あるいは、それらの環境に文化財にとっては不利な面があることをも正しく認識し、日常の管理を休むことなく続けてきたことに理由がある。そのことに学ぶとき、自然災害がもたらすリスクへの対応の方法が見つかるはずである。

文化財行政のあり方についても、考えるべきことがある。国の指定文化財でも、都道府県・市町村の指定文化財でも、あるいは未指定の文化財でも、あらゆる文化財は地域に所在している。その存在をいちばん知っているのは市町村レベルの文化財所管部局の担当者だ。しかし、多くの場合、市町村の文化財所管部局は教育委員会に置かれており（近年は、地域振興関係の部局に設置されている場合もある）、災害発生によって学校の体育館などに避難所が設置されると、文化財担当者も教育委員会の職員として避難所対応に回る。自身の家が被災し、あるいは家族が傷ついているかもしれないが、まず避難所の対応に回らなければならない。そうなると、文化財の被災状況の把握は遅れ、被害はより深刻なものとなっていく。

このような地域防災における行政のシステムでさえ、文化財という分野から見れば一つのリスクと捉えることができる。これを「仕方がない」と言うのではなく、「ではどうするか」と考えるのである。

（4）奈良における文化財防災に関する取り組み

文化財保護法の改正と文化財防災――制度としての文化財を知ること　二〇一八年一〇月に文化財保護法が改正され、翌年四月に施行された。一九五〇年に制定されて以来、文化財保護法は文化財を取り巻く社会の変動、人びとの価値観の変化を読み取りながら、より広範な文化財保護を目指して、何度かの改正を重ねてきたが、近年いよいよ顕著になる過疎化や少子高齢化による地域の衰退に対する国を挙げての取り組みにおいて、今回は文化財の「活用」を重要な旗印とし、文化財の分野もまた寄与していこう、という趣旨により改正されたものである。

もちろん、文化財は本来人びとの生活や宗教などさまざまな行いのための道具や場として作られたものである。それは当然、使うほどに劣化し、また形を変えて今日まで維持されてきたものであるから、「活用」の名のもとに仮に文化財を酷使すれば必要以上に劣化が進行することにもなりかねない。このため、地域振興のために文化財を活用する、という目標を立てると同時に、文化庁はその保護のあり方についてもこの際考えるべきである、という姿勢を堅持している。この際銘記しておかなければならないのは、文化財の「保存」と「活用」は、昭和二五年（一九五〇）の文化財保護法制定時から、その第一章第一条に明記されており、時代の変化とともに改正を重ねてきた保護法が、今回さらに、新しい時代の文化財の「保存」と「活用」について、その方向性を示した、ということである。

保護法改正の意向を具体的なものとするために、文化庁は都道府県に対しては「文化財保存活用大綱」

を作り、都道府県民に対して文化財の保護と活用についての方向性を示すことを推奨している。また市町村においては、その方向性のもとに「地域文化財保存活用計画」を策定することができる、としている。

そして文化庁は、文化財保存活用大綱策定のための指針を示している。そこには大綱に記載されるべき主な内容として、①文化財の保存・活用に関する基本的な方針、②文化財の保存・活用を図るために講ずる措置、③域内の市町村への支援の方針、④防災・災害発生時の対応、⑤文化財の保存・活用の推進体制、の五項目があげられている。「保存」と「活用」が併記されるのは当然として、「防災・災害発生時の対応」が特に一つの項目として独立してあげられていることに、私たちは注目しなければならない。

二〇一九年度以来、各都道府県では文化財保存活用大綱の策定作業が進められ、現在（二〇二三年一月）までに、四三の道府県が策定を完了し、道府県民に公開している。もちろん、大綱全般を見比べると、県によってその取り組み方や記述の仕方にはずいぶんと違いがある。大綱はあくまでも市町村に対する指針を示すものだから、大綱自体に詳しい記述は必要ない、という姿勢を示すものがあるいっぽう、県の地理的環境や歴史風土を詳しく記述し、そこに育まれた文化とその痕跡である文化財との関係を説き、地域文化財への深い理解を県民に求め、地域の活性化のための取り組みを述べていくものも多く見られる。

奈良県の文化財防災を見る――それぞれの地域の事情と文化財防災　ここで、奈良県の文化財防災体制を見てみよう。

奈良県は、二〇二一年三月に文化財保存活用大綱の案を県のホームページに公開して一か月間パブリックコメントを求め、六月には確定版を公開した。本文二六ページは他県の大綱に比べても短いもので、記述される内容もあまり詳細なものとは言えない。しかしそこだけを見て、奈良県の取り組みを批判的に見るのは正しくない。奈良県は、すでに早くから文化財を活用した地域の振興策を打ち出してきた。

二〇一五年には知事部局に文化資源活用課を設置し、二〇一七年には「奈良県文化振興大綱」を策定していて、二〇一九年の保護法改正に先駆けて、県内の文化財の活用についての方針を市町村と県民に示してきた。後から発生した大綱策定は、奈良県においてはすでに形となっていた、ということになる。

いっぽう今回の奈良県の文化財保存活用大綱では、文化財の防災と災害時の対応について、項目としてはあげられているものの、その記述は簡単なものである。県内各地の地震や風水害に対する危険度を念頭に置いた防災体制についての現状分析や今後の方針についての記述には、あまり具体性が見られない。たとえば二〇一九年の九州北部豪雨を経験し、実際に県の教育委員会とともに県立博物館である九州歴史資料館が中核となり、現地への職員派遣、救出した文化財の保存処置などを実施して、県内の防災体制に確信を持つようになった福岡県の大綱の記述などと比べると、その違いは明らかである。これは、自然災害とそれに伴う文化財被害、県としての対応経験の有無が反映しているようである。しかし、本当に自然災害のリスクはそれほど小さいものなのだろうか？

奈良の場合、地震災害による震度予測を見ると、実は南海トラフなどの海洋型地震ではあまり大きな揺れは予測されていない。これに対して、県北部のまさに奈良盆地を取り囲む山地を形成する断層で地震が発生すると、かなり大きな揺れがあると予測されている。これは、大地の隆起により周囲が山地となり、平地となった内側では四方から流れ来る河川が扇状地を形成した結果、盆地の中心部が低地となり、地盤が緩くなっているため、揺れやすいのである。

文化財に被害が及ぶ災害としては、文化財建造物の火事についての注意が必要である。火事は、地震などによる建物の倒壊の後、二次災害として発生する場合もある。地盤が緩い奈良の平野部では、住宅等の倒壊とその後の火災発生の予防策が必須である。また、歴史的に奈良の社寺は戦乱による焼失が多かったのは事実として、自然災害としては雷によって多くの建物を焼失してきた。

文化財建造物の火災焼失ということでは、一九四九年一月二六日の法隆寺金堂の失火による火災が現在の文化財保護法制定のきっかけとなったことはよく知られており、毎年この日が全国文化財防火デーとなっている。このような背景から、奈良県は文化財保存活用大綱とは別に、二〇二〇年一〇月に「奈良県文化財防火対策推進条例」を公布し、改めて県民に文化財建造物の防火のための方針を示した。また奈良県広域消防組合には文化財防災監という役職が配備され、消防局との連携により文化財に関する防火対策を講じている。

文化財防災のための県内の連携体制はどうだろうか。奈良県には橿原考古学研究所付属博物館や民俗博物館等があるが、県の歴史文化や自然史関係の資料を収蔵保管・研究・展示する県立の総合博物館がない。おのずから、市町村に歴史資料の把握やその活用が求められるが、奈良市をはじめとして、県内の博物館施設はむしろ貧弱である。また県立総合博物館がないためか奈良県には全県の博物館による連絡協議会が存在しない。災害発生時に加盟館の安否確認や地域の文化財被害に関する情報の収集を県立博物館が中核となって行うという、多くの県に見られるシステムが存在していないのである。

このほか、奈良は県内の各地に間違いなく民間所在の古文書や民俗資料が残されている。県立民俗博物館では県内から移築・復原した古民家と民俗資料を展示しているが、現在日本各地で二〇か所以上設立されている地域資料ネットのような大学教員や地域の博物館・資料館などの学芸員たちを中心とした組織もない。

県庁と県内市町村との連携は、警察や消防局も参加する毎年一回の「文化財防犯・防火・防災関係者連絡会議」の開催などによって図られているが、災害発生時の県内関係団体による行動については、もっと思う。

と具体的な想定がなされるべきで、県内体制構築のための積極的なプランがあってもよいのではないか

三　文化財の「保護」と「活用」

（1）「文化財とは何か」を理解していることの重要性

「文化財の防災」とは、物理的に被災したモノを救出して応急処置、一時保管、本格修理をするという流れをあらかじめ考え、災害時にこれを実践することである。あるいは被害を出さないための方法や設備を考え、災害の前に実践することである。いずれにせよ、これらはそれぞれの専門性を持った人が分担をして行う、ということで理解できる。

しかし、実際には文化財を所有している人や文化財のある地域の人びとにとって、それがどのような価値を持つものであり、災害が発生し、時には人命が失われ、あるいは家族や同僚の命が失われ、生活を維持していくための家や財産を喪失し、ひどい場合にはその地域のコミュニティが存続の危機を迎える、というような状況で、なぜあえてそれを救出しなければならないのか、ということが理解されているものでなければならない。そのため、「文化財の防災」に関わる人はすべて（所有者も行政の担当者も、救援・支援活動を行う者も、そして地域の住民も）、まずその基本として、すべてが「文化財とは何か」ということを理解している必要がある。

そしてそれは、文化財保護法や地域の保護条例が「文化財は大切だ」と言っている、あるいは重要文化財や国宝だ、という理解だけでは足りていない。

文化財の指定とは、あまたある文化財の保護において、行政が年間の予算を効率的に執行するために付

けた、要するに「目印」のようなものだ。その「目印」の認識しかなく、地域の歴史や地理、文化のなかに存在するモノとして、その豊かな内容を自分の言葉で語ることができないとすれば、文化財を本当に理解しているとは言えない。「国宝だから大事だ」としか言えないような者は自分を「文化財の専門家です」などと言ってはいけない。

今回の文化財保護法改正では、文化財保存活用大綱策定のための「手引き」において、「指定・未指定の有無にかかわらず」「文化財保護法の体系が示す以外でも地域の歴史や文化を物語るものであるならば」これらをすべて文化財として認め、保護し、活用していくのだ、と文化庁みずからが謳っている。このような理念を理解し、「文化財とは何か」を知ろうとする取り組み、そしてまさに語ろうとする取り組みを、行政・専門家・所有者、そして地域の住民も行う、ということが大事なのだ。

「文化財防災を勉強したい」と考える諸君に言おう。文化財防災は、ただ防災のための技術や体制の作り方を理解していればできる、というものではない。文化財防災を志す者は、文化財そのものの勉強をしっかりとして、「文化財とは何か」を語ることができなければならない。だからこそ、ゼミは自分が最も好きな文化財のジャンルという基準で選択すればよいのだ。そこから、防災の勉強は始まる。私が、「好きな文化財は何？」と質問したとき、目を輝かせてそれを語ってもらいたい。

（2）文化財を「保護」し「活用」するには何が必要か

もともと、我が国ではかなり早い時期から地域の過疎化が言われていた。そして近年各地で顕著に現れている少子高齢化の課題に対して、国を挙げてさまざまな分野で取り組んでいこう、という方針が示され、地域振興を促進する観光開発のために文化財を活用することが注目され、その方向性に沿うように今回文化財保護法が改正された。

多数の指定文化財が所在する奈良県においてもそれは例外ではなく、実際には県の広大な地域のなかで、管理することもままならなくなった文化財が残され、祭礼などの行いは担い手が減少を続けている。そのような状況で、地域の人びとにただ理念や方法だけで文化財の「保護」や「防災」を説いたとして、本当に「地域の活性化」という効果は生まれない。

奈良県には世界遺産が三つあるほか、国が指定する国宝・重要文化財が多数ある。県のホームページを見てもその数を誇りにすることをアピールしている。しかし、東大寺の大仏や興福寺・薬師寺・唐招提寺の伽藍があって国内外から多くの観光客が訪れたとして、それで山間部の地域が活性化するわけではない。

文化財とは、人びとの暮らしのなかにあり、次の世代にも伝えられていく、というものである。その保存・保護のための方法は、材料や技術によっても支えられるし、人びとが「それが地域に存在することの意味」をいかに理解しているか、ということによっても支えられる。このことが大事だ。社会学や経済学、地理学など、文化財が文化財として人びとともにあることを意味づけるためのさまざまなアプローチが必要になるし、考えられる。

四　おわりに――総合の学、実践の学としての「文化財」

社会が変わり、人びとのライフスタイルが変わるとき、文化財のあり方、その保護の仕方も変わる、ということを私たちは認識していなければならない。過疎化や少子高齢化が発生する原因には、社会の変化、経済状況の変化など、多様な要素がある。それを解決し、地域の文化財の保護をも実現するためには、場合によっては保護の方法を変えなければならないかもしれない。

文化財の保護と言うと、今の形から少しも変えないこと、と思われがちになるかもしれないが、歴史をよく見てみれば、実際の文化財で、それが制作されて以来、あるいは祭礼などが行われるようになってから、今日まで少しもその形態を変えていないものなどは存在しないことがわかる。むしろ、人びとはその時どきになんらかの必要に応じて、あるいは仕方なく、それらのモノの形態や機能を変えてきた。人びとのライフスタイルが変わった、ということは歴史的に今回が初めてのはずがない。そうやって移り変わる社会のなかで残ってきたものを、私たちはいま、「文化財」と呼んでいるのである。

その意味では現代の私たちが行う歴史学・美術史・工芸史・建築史・考古学・民俗学、そして文化財科学などの研究は、その変遷の過程と理由を探る学問であるから、非常に重要である。文化財の専門家となるためには、個々の分野で卓越した知識を持ち、豊かな経験を積むことが必要だ。同時に、それらの学問が現代に活かされるためには、文化財の形態をいまのまま維持し続けなければいけないということを頑なに言うのではなく、文化財の（そうやって変化もしてきたという）歴史を正しく紹介し、文化財のこれからについて優しく助言する立場でなければならない。

このように考えた場合、文化財とはきわめて総合的な視野と多岐にわたる学術的知識を必要とする学問領域であることがわかると思う。もちろん大学は、そういう学びを提供し、実現する場でなければならない。

〈著者紹介〉

〈掲載順〉

今津（いまづ）節生（せつお）

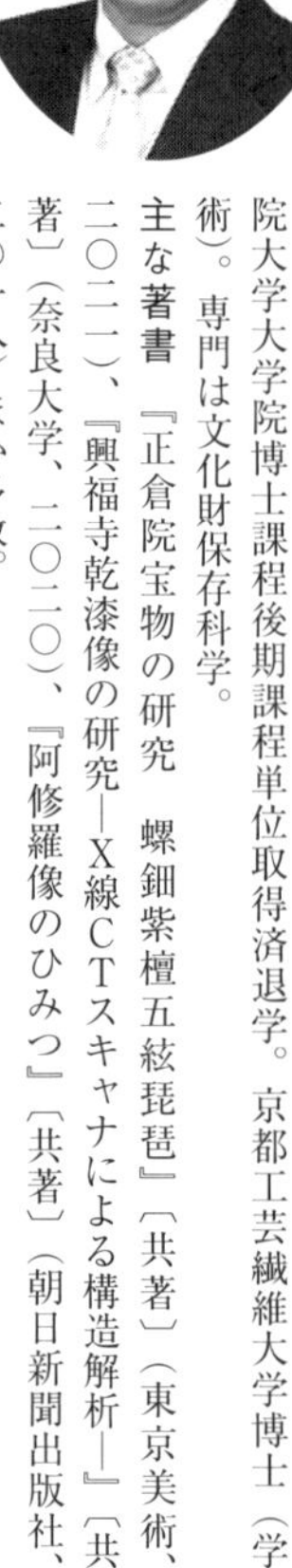

保存科学担当。一九五五年、和歌山県白浜町生まれ。奈良大学学長。青山学院大学大学院博士課程後期課程単位取得済退学。京都工芸繊維大学博士（学術）。専門は文化財保存科学。

主な著書　『正倉院宝物の研究　螺鈿紫檀五絃琵琶』〔共著〕（東京美術、二〇二一）、『興福寺乾漆像の研究―X線CTスキャナによる構造解析―』〔共著〕（奈良大学、二〇二〇）、『阿修羅像のひみつ』〔共著〕（朝日新聞出版社、二〇一八）ほか多数。

相原（あいはら）嘉之（よしゆき）

考古学担当。一九六七年、大阪市生まれ。奈良大学准教授。奈良大学文学部文化財学科卒業。奈良大学博士（文学）。専門は日本考古学・文化財学。

主な著書　『飛鳥・藤原の宮都を語る』（吉川弘文館、二〇一八）、『古代飛鳥の都市構造』（吉川弘文館、二〇一七）、『蘇我三代と二つの飛鳥』（新泉社、二〇〇九）。

小林（こばやし）青樹（せいじ）

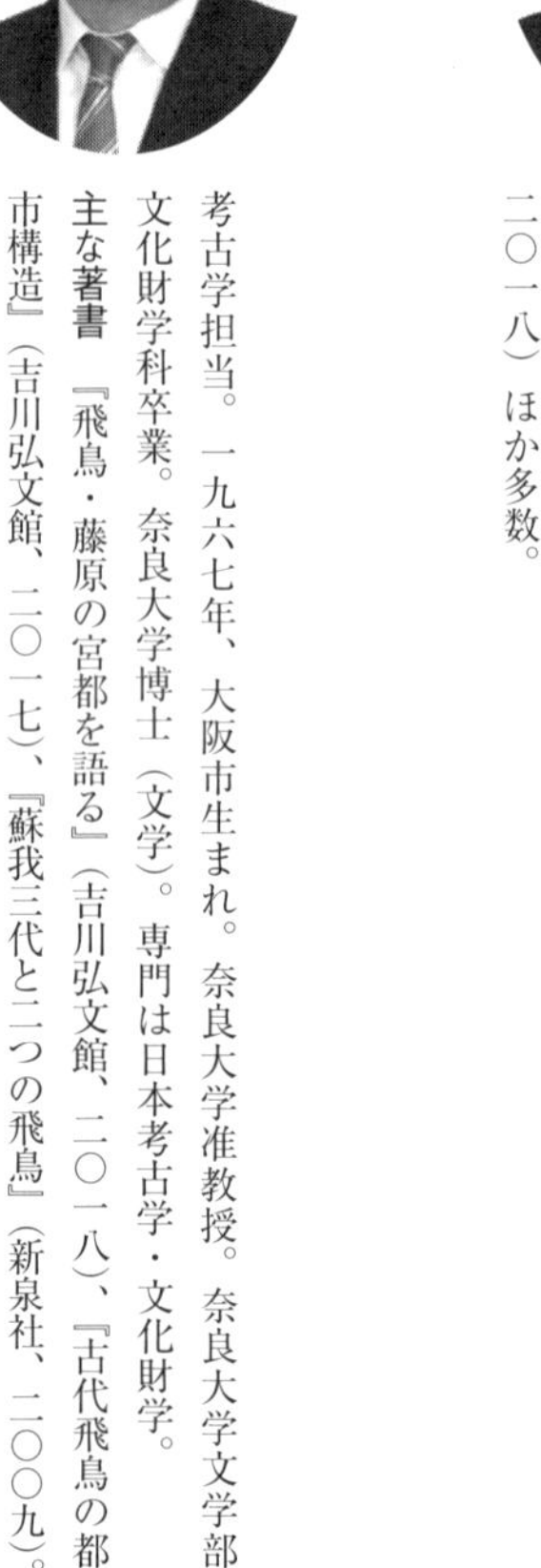

考古学担当。一九六六年、群馬県富岡市生まれ。奈良大学教授。國學院大學大学院文学研究科博士課程後期日本史学専攻満期退学。九州大学博士（文学）。専門は東アジア考古学。

主な著書　『弥生文化の起源と東アジア金属器文化』（塙書房、二〇一九）、『倭人の祭祀考古学』（新泉社、二〇一七）ほか多数。

〈著者紹介〉

〈掲載順〉

魚島（うおしま） 純一（じゅんいち）

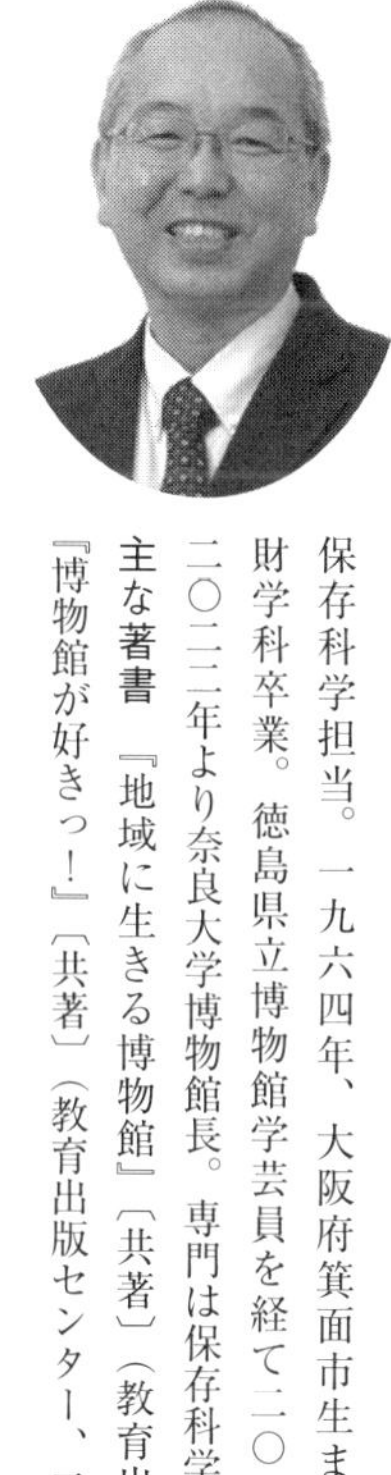

保存科学担当。一九六四年、大阪府箕面市生まれ。奈良大学文学部文化財学科卒業。徳島県立博物館学芸員を経て二〇一二年より奈良大学教授。二〇二二年より奈良大学博物館長。専門は保存科学。

主な著書　『地域に生きる博物館』〔共著〕（教育出版センター、二〇〇二）、『博物館が好きっ！』〔共著〕（教育出版センター、二〇〇七）ほか。

杉山（すぎやま） 智昭（ともあき）

保存科学・博物館学担当。一九七二年、北海道江別市生まれ。奈良大学准教授。東京藝術大学大学院博士課程修了。東京藝術大学博士（文化財）。専門は保存科学・博物館学。

主な論文　「X線CTによるアイヌ民族資料「シントコ（行器）」の製作技法および劣化現況に関する調査」（北海道博物館、二〇一九）、"Decay inspection of historical wooden architectures by genetic analysis," National Research Institute for Cultural Properties, Tokyo, 2012ほか多数。

原口志津子（はらぐちしづこ）

美術史学担当。一九六〇年、徳島県徳島市生まれ。奈良大学文学部文化財学科教授。富山県立大学名誉教授。京都大学大学院文学研究科博士後期課程中退。京都大学博士（文学）。専門は日本中世絵画史。

主な著書　『富山・本法寺蔵法華経曼荼羅図の研究』（法蔵館、二〇一六）ほか共著、論文多数。

〈著者紹介〉

〈掲載順〉

大河内智之（おおこうちともゆき）

美術史学担当。一九七四年、奈良県桜井市生まれ。奈良大学准教授。帝塚山大学大学院博士前期課程修了。奈良大学博士（文学）。元和歌山県立博物館主任学芸員。専門は日本彫刻史。

主な著書　『熊野─聖地への旅─』〔編著〕（和歌山県立博物館、二〇一四）、『仏像と神像へのまなざし─守り伝える人々のいとなみ─』〔編著〕（和歌山県立博物館、二〇一九）、『国宝粉河寺縁起と粉河寺の歴史』〔編著〕（和歌山県立博物館、二〇二〇）。

吉川（よしかわ）　敏子（としこ）

史料学担当。一九六八年、大阪市生まれ。奈良大学教授。京都大学大学院博士後期課程単位取得退学。京都大学博士（文学）。専門は日本古代史。

主な著書　『律令貴族成立史の研究』（塙書房、二〇〇六）、『氏と家の古代史』（塙書房、二〇一三）。

岡田（おかだ）　健（けん）

文化財学担当。一九五六年、石川県小松市生まれ。奈良大学教授。東京藝術大学大学院博士後期課程中退。専門は文化財保護・美術史。

主な著書　『世界美術全集東洋編3／三国・南北朝』〔編著〕（小学館、二〇〇〇）、「東寺毘沙門天像─羅城門安置説と造立年代に関する考察─（上・下）」（『美術研究』三七〇・三七一、東京国立文化財研究所、一九九八─一九九九）ほか多数。

〈編者紹介〉

奈良大ブックレット11 **文化財学入門**

二〇二三年三月三一日 初版第一刷発行

編 者 学校法人 奈良大学

著 者 今津節生／相原嘉之／小林青樹／魚島純一
杉山智昭／原口志津子／大河内智之
吉川敏子／岡田 健 〈掲載順〉

発行者 中西 良

発行所 株式会社 ナカニシヤ出版
〒六〇六-八一六一 京都市左京区一乗寺木ノ本町一五番地
電話 (〇七五) 七二三-〇一一一
ファックス (〇七五) 七二三-〇〇九五
振替 〇一〇三〇-〇-一三一二八
URL https://www.nakanishiya.co.jp/
e-mail iihon-ippai@nakanishiya.co.jp

印刷・製本 共同精版印刷株式会社
装幀 河野 綾／編集 石崎雄高

ISBN978-4-7795-1747-1 C0320 ©2023 Nara University

奈良大ブックレット発刊の辞

市川　良哉

時代が大きく変わっていく。この思いを深める。少子高齢化は社会の在り方や個人の生活を変えていく。情報の技術的な進歩が人とのコミュニケーションの在り方を激変させている。人はどう生きるべきかという規範を見失ったかに見える。地震や津波などの自然災害、殊に原発事故の放射能汚染は生命を脅かしている。こうしたことの中に将来への危惧にも似た不安を覚える。

　不安はより根本的な人間の気分を意味するという。こうした気分は人の内面に深く浸透していく。不安にさらされながらも、新しい時代に相応しい人としての生き方こそが求められなければならない。そうしたとき、人は自らの生き方を選択し、決断していかなければならない。孤独な生を実感する。そこでも、われわれはこのような生き方でいいのだろうかと大きな不安を抱く。

　不易流行という言葉はもと芭蕉の俳諧用語で、不易は詩的生命の永遠性をいい、流行は詩の時々におけるはやりをいう。ここから、この語はいつの時代にも変わる面と同時に、変わらない面との、二つをもっていることを意味する。

　変化する面は措（お）くとして、歴史とは何か。文化とは何か。人間とは何か。人間らしい生き方とは。平和とは何か。人間や世界にかかわるこの問いは不変である。不安な時代の中で、われわれはこの根源的な問いを掲げて、ささやかながらも歴史を、文化を、人間を追求していきたい。そうした営みの中で、人の生き方を考える道筋を求め、社会を照らす光を見出していきたい。

　奈良大ブックレットは若い人たちを念頭においた。平易な言葉で記述することを心がけ、本学の知的人的資源を活用して歴史、文化、社会、人間について取り上げる。小さなテーマに見えて実は大きな課題を提起し、参考に供したいと念願する。

二〇一二年一〇月